A FILOSOFIA EXPLICA BOLSONARO

paulo
ghiraldelli

A FILOSOFIA EXPLICA BOLSONARO

Editor executivo
Rodrigo de Almeida

Preparação
Bárbara Anaissi

Revisão
Eduardo Carneiro

Diagramação
Filigrana

Projeto de capa
Victor Burton

Dados Internacionais de Catalogação na Publicação (CIP)
Angélica Ilacqua CRB-8/7057

Ghiraldelli Júnior, Paulo, 1957-
A filosofia explica Bolsonaro / Paulo Ghiraldelli. - São Paulo: LeYa, 2019.
176 p.

ISBN 978-85-7734-686-8

1. Ciência política 2. Brasil - Política e governo 3. Filosofia política I. Título

19-1741

Índices para catálogo sistemático:
1. Brasil - Política e governo

EDITORA CASA DA PALAVRA
Rua Avanhandava, 133 | Cj. 21
01306-001 – São Paulo – SP

Para Fran, que teve a ideia de um Filósofo Youtuber como professor. Para todos que apoiam o "Canal do Filósofo", e que são a força da construção de um Brasil em que os mais fortes econômica e politicamente não possam humilhar os demais.

Sumário

Introdução

Sou uma pessoa de esquerda, evidentemente. Será que tenho sonhos anticapitalistas? Devo ter, de vez em quando. Mas, felizmente, não tenho qualquer cartilha para entregar aos construtores do futuro. Não possuo filiações partidárias. Nem vínculos partidários. Procuro manter, como filósofo, uma consciência crítica em relação às esquerdas. Afinal, ser um pensador de esquerda é ser, antes de tudo, um salutar incômodo para a própria esquerda.

A esquerda só tem chances pelo pensamento, pela reflexão, pela capacidade de se ver criticamente. Todas as vezes que desistiu dessa via foi derrotada.

Acredito que o Brasil não tem como caminhar pela direita. Um país desigual como o nosso, com um governo de direita do tipo deste levado adiante por Jair Messias Bolsonaro, que é um mostrengo anticultura, anticiência e com horror à poesia e às artes, é a última coisa de que precisamos. Por isso mesmo, resolvi escrever este livro.

Apresento aqui uma obra de filosofia política, um pouco diferente do que normalmente faço. Um livro não acadêmico, de combate. Ele pretende honrar a ideia dos editores de servir como instrumento para ampliar a conversação política em nosso país. Abracei essa ideia. É claro que, nesse sentido, construí o texto no meu próprio estilo. Estou longe daqueles que dizem que "não é para polarizar". Faço textos para radicalizar, polarizar e criar conflitos. Não faço livros para ter adversários, faço-os para ter amigos e inimigos.

Neoliberalismo à vista

Para falar da modernidade, o filósofo alemão Peter Sloterdijk gosta de citar o sucesso de época do livro *Fortunatus*, lançado no início de 1500. Enquanto as caravelas de Cabral aqui aportavam, no monte Pascoal, transformado em Terra de Vera Cruz, chegava aos lares europeus as aventuras do herói cujo nome era o mesmo do livro. Seu trunfo era poder viajar o mundo inteiro sem nunca lhe faltar dinheiro, bem ao contrário de Cabral. O moço havia recebido de uma fada uma bolsa mágica com quarenta moedas, sempre repostas quando o fundo da bolsa secava. A mágica do dinheiro que brota de si mesmo, na qual hoje vivemos, já estava ali, no Renascimento, predita realmente como mágica.

A Terra de Vera Cruz virou Brasil. Nesse lugar, sabemos bem, essa mágica da bolsa de Fortunatus realmente acontece. Poucos de nós acreditamos que não é mágica. Mesmo os que não acreditam, não dão atenção para o truque, ou seja, se ele é ou não um truque. Apenas o aceitam e o veneram. Os jovens de hoje deixaram de lado a ideologia do empreendedorismo, posta pelo capital produtivo, para abraçar a ideologia do capital improdutivo ou, como Marx o chamou, capital fictício. Os jovens não querem mais ser empreendedores – descobriram que os tais cursos de empreendedorismo eram mentirosos e que um *coach*, mesmo que ostente o título de professor universitário e pose de intelectual, não diz nada com nada. Agora, aderiram aos cursos que os ensinam a serem investidores. "Vou viver de rendas" – dizem eles. Não querem mais se enganar acreditando que iriam ter "o seu próprio negócio". Agora estão cientes de que não serão enganados ao acreditar que terão uma bolsa de Fortunatus. Gastar dinheiro do trabalho para viajar e viver? Ora bolas, coisas do antiquado Cabral! Temos a bolsa mágica!

Essa passagem do entusiasmo dos jovens com o rentismo e sua desistência do empreendedorismo ocorreu em menos de dez anos. São os últimos dez anos. No Brasil as coisas demoram um pouco para chegar, mas quando chegam se aglomeram como modas e logo passam. Tudo na velocidade de Cabral: demorou para aportar, mas, uma vez aqui, ficou pouco.

Se fosse para respeitarmos a *timeline* de outros lugares, como os Estados Unidos e a Europa, teríamos de ter tido um desejo pelo empreendedorismo logo no final dos anos 1980 e, enfim, só agora, de fato, uma guinada mais radical, em termos de horizonte profissional, para o rentismo. Se assim fizéssemos, estaríamos respeitando o movimento real da economia mundial. Mas, quando o mundo inteiro estava já se encaminhando para o neoliberalismo, que é a ideologia própria do capitalismo comandado pelas finanças, nós vivíamos a saída da ditadura militar e, enfim, nossas forças mais combativas à esquerda calavam um pouco os liberais. Só viemos para o colo de Ronald Reagan e Margaret Thatcher tardiamente. Reagan, presidente dos Estados Unidos entre 1981 e 1989, e Thatcher, primeira-ministra britânica entre 1979 e 1990, foram os líderes que primeiro adotaram oficialmente o neoliberalismo. Nós os seguimos tardiamente e ainda meio que às avessas, dado que nossa Constituição de 1988 marcou traços de um Welfare State (Estado de Bem-Estar Social) com certa feição social-democrata. Certas cláusulas nela contidas a fizeram ser batizada de "Constituição Cidadã" por Ulysses Guimarães. Mas, tão logo veio Collor, nunca mais paramos de mudar a Constituição, adaptando-a crescentemente aos desígnios do neoliberalismo e da institucionalização da vitória do capital fictício. De Collor a Bolsonaro, sem qualquer recuo com

Itamar, FHC, Lula, Dilma e Temer, nosso país caminhou firme em uma mesma trajetória para chegar aonde chegamos, no crepúsculo de uma era, o fordismo.[1] Entramos finalmente no pós-fordismo, que, em outros lugares, está assinalado no final dos anos 1970 e início dos anos 1980.

Só agora, de fato, Cabral chegou às Índias. A respeito da terra que deixou, uma nova Carta de Caminha deveria ter em seu início a seguinte descrição: "Eram pardos, todos nus, sem coisa alguma que lhes cobrisse suas vergonhas. Nas mãos traziam arcos com suas setas. Vinham todos rijos sobre o batel; e Nicolau Coelho lhes fez sinal que pousassem os arcos. E eles os pousaram. Foi então que Coelho teve uma visão estranha: todos tinham em suas cinturas cartões de crédito. E um pajé assim dizia: estamos endividados até o pescoço, ó homem branco."

Financeirização

Vivemos hoje sob a mágica de Fortunatus. Todos nus, como Cabral nos encontrou, e com uma bolsa mágica, ou melhor, obrigatoriamente com um cartão de crédito. Mesmo que tenhamos a contenção como

1 Gerenciamento de empresas criado pelo americano Henry Ford, tendo por base o taylorismo (ver nota seguinte). Ford foi o primeiro "capitão de indústria" a considerar que seus trabalhadores seriam também os consumidores de seus produtos, e por isso limitou a jornada de trabalho a oito horas e aumentou os salários.

lema e não compremos nada essencial, tudo que compramos tem a libido alterada. É que o cartão se esfrega em alguma maquininha, em operação similar ao ato sexual. E como não usam preservativos, nasce dinheiro para nós e muito mais dinheiro na conta bancária da instituição que nos obrigou a ter o cartão e a maquininha. Isso se chama juros. A Igreja, no tempo de Cabral, chamava isso de pecado – o pecado da usura. Somos restos de índios endividados e nus, sequestrados pela nova vida – a do capitalismo financeirizado. Os brancos do navio, que não dão espelhinhos, são os bancos. Não podemos ir para o inferno por isso, pois somos índios e, então, não temos ideia de que participamos do pecado do banco, e do branco. Mas, enfim, não carecemos de punição do inferno, estamos nele.

Como chegamos a tal situação? Como o mundo é o que é, o inferno do capitalismo financeiro? Como foi que a Terra de Vera Cruz e depois Terra de Santa Cruz virou o Brasil e entrou nesse inferno?

O capitalismo nunca foi dócil. Mas ele apresentou períodos de amenidades e, em certo sentido, chegou mesmo a ter sua própria utopia – o American way of life. Aliás, diga-se de passagem, associado ao lema "Estrangeiros do mundo, uni-vos", dado pelos Estados Unidos, esta utopia barrou o lema "Proletários do mundo, uni-vos", que alguns diziam pertencer ao Império Soviético, que surrupiou o marxismo para fazer dele antes ideologia que filosofia. Esse período é conhecido na literatura da história econômica como "os trinta anos gloriosos" do capitalismo.

Nos "trinta anos gloriosos" vingou como modo de trabalho o fordismo, tendo na linha de produção o velho taylorismo,[2] celebrizado nas telas pelo operário de *Tempos modernos*, de Chaplin. Isso se deu principalmente no pós-guerra. O fordismo gerou a produção em massa, o barateamento dos produtos e sua variação de estilo e preço, criando então um enorme consumo. Ainda hoje, lembrando esses tempos, falamos em "sociedade do consumo de massas". O marketing entrou pesado para aprofundar a geração de demanda e criar o consumo para gerar a inveja. Muitos estudaram isso tendo Thorstein Veblen nas mãos, o economista antropólogo que elaborou o conceito de consumo para ostentação. O trabalho estava no comércio e na indústria, e esta era o carro-chefe. A classe operária passou a ter vida melhor e a própria riqueza, especialmente nos Estados Unidos, se democratizou significativamente. Os padrões de escolarização aumentaram no mundo todo.

---

2 Teoria de administração de empresas criada pelo americano Frederick Winslow Taylor. Seu objetivo era a racionalização do trabalho em função da máxima produtividade. Taylor instituiu a divisão do trabalho, a linha de montagem no sentido de economizar os movimentos segundo cronometragem e estudos de tempos e movimentos.

Os direitos de trabalhadores e mulheres também se fizeram notar. Nem seria preciso a Guerra Fria, a verdade é que muitos trabalhadores aderiram ao modo de vida da classe média – uma recriação americana – e preferiram partidos de esquerda não adeptos do comunismo. Americanos chamaram de liberais aqueles que, na Europa, eram os social-democratas. Em ambos os lugares um belo Estado-providência, ou Estado de Bem-Estar Social, foi construído. Mas um dia essa festa utópica sob o capitalismo chegou ao fim. O Estado de Bem-Estar Social entrou em crise. Hoje em dia, se computarmos o que ocorreu, temos que a classe média americana encolheu. Nos últimos trinta anos os padrões de vida voltaram aos patamares de antes dos "trinta anos gloriosos".

Há diversas correntes teóricas na disputa buscando explicar a crise do Estado de Bem-Estar Social e, enfim, o que ocorre agora, já na crise do neoliberalismo. Trata-se, basicamente, de uma crise fiscal. Os Estados se endividaram. Surgiu a chamada dívida pública como um problema. Os filósofos Antonio Negri e Michael Hardt dizem que o Estado se endividou por conta de seu papel na luta de classes. Tentando barrar o socialismo – o perigo do comunismo ou o medo da União Soviética –, fez empréstimos em bancos nacionais e estrangeiros para arcar com benefícios sociais diante de uma classe trabalhadora mais capaz, mais escolarizada e mais exigente. Foi assim, segundo esses dois filósofos, que a própria governança dos países foi se deixando levar pela nova forma de capitalismo. Uma vez que ficaram nas mãos dos bancos, passaram a se metamorfosear com as formas de comando dos bancos. O setor bancário passou a trocar seus quadros com os quadros de executivos governamentais. O que se tem aí é a governança em estilo neoliberal, ou o neoliberalismo propriamente dito, executado.

Todos sabemos que os Estados Unidos entraram na Segunda Guerra com uma economia que já não era tão frágil. Depois da vitória, colocaram sua economia em favor da reconstrução da Europa, do Japão e, de certo modo, em ajudas para a América Latina e outros rincões. O mundo capitalista cresceu economicamente. "Isso dependeu", diz o geógrafo marxista britânico David Harvey, "em parte da generosidade dos Estados Unidos em aceitar déficits com o resto do mundo e absorver todo o produto adicional dentro de suas fronteiras". Mas, ao longo do tempo, os resultados não foram muito bons para os americanos. Os impasses são bem explicados pela economista brasileira Leda Paulani, e complementam, então, o dito por Negri e Hardt e por Harvey.

O que Paulani ensina, em vários escritos, é que os americanos ficaram num impasse entre manter o dólar valorizado, no sentido de hegemonia política no mundo (a Guerra Fria fazia cobranças!), e ter de desvalorizá-lo, para tornar sua indústria mais competitiva e diminuir o déficit na balança comercial com os países que eles próprios ajudaram. Mas o problema é que o acordo de Bretton Woods tinha tornado a economia do mundo todo presa ao padrão ouro-dólar e às regras do câmbio fixo. Assim, a economia americana foi perdendo fôlego, o capital foi migrando para centros financeiros europeus, a melhoria de vida e salários trouxe a inflação, que, em economia sem polos de crescimento, se associou à estagnação. Veio o fenômeno da estagflação. Com o déficit aumentando, as reservas de ouro dos Estados Unidos começaram a baixar. A solução foi espantosa e unilateral, e mudou completamente a face do mundo, tanto econômica quanto sociologicamente. Atualmente, colhemos os frutos de uma mudança de vida, graças ao que ocorreu naquele período, algo que pertence ao campo de estudo da filosofia. E o que foi que ocorreu?

Em 1971 o presidente americano Richard Nixon resolveu a situação simplesmente desvinculando o dólar do ouro, tirando o lastro da moeda americana de modo a torná-la o dinheiro que conhecemos hoje, estritamente fiduciário. Da noite para o dia, todo o dinheiro usado no mundo passou a depender não mais dos depósitos de ouro dos Estados Unidos, mas das decisões do Banco Central americano. Essa solução abriu o mundo para uma nova história: o fim do keynesianismo – a ideia do Estado de Bem-Estar Social em apoio ao crescimento econômico associado ao New Deal[3] ou políticas social-democratas da Europa – e a entrada da ideia de Estado mínimo, de desregulamentação da economia, de flexibilização no interior do mundo do trabalho e, enfim, a passagem do fordismo ao pós-fordismo. O capital produtivo cedeu espaço para a hegemonia do capital fictício. A financeirização conquistou o mundo. A ideologia vinda da universidade, travestida de ciência, se fez presente sob a grande capa de nome "neoliberalismo". Inaugurou-se a era que vivemos, de 1980 até agora. Hoje, o neoliberalismo bate em retirada no mundo todo, enquanto no Brasil, onde esteve vigente desde os anos 1990, aparece agora, pela boca de um ministro, Paulo Guedes, como solução atual e como algo que jamais teria sido utilizado entre nós.

Mas de que maneira essa mudança no dinheiro gerou uma porta aberta para a financeirização?

---

3 New Deal ou Novo Acordo foi o modo que o presidente americano Franklin Delano Roosevelt utilizou para enfrentar a crise de depressão econômica dos Estados Unidos, de 1929. A ideia básica era criar uma modificação no liberalismo, por meio de uma maior participação do Estado na economia, que também passaria a promover uma concordância entre trabalhadores e empresários. Foi um acordo no campo social, industrial e agrícola, sob o qual se fizeram empréstimos a fazendeiros, controle da produção visando a melhor consumo, fixação de preços, criação de empregos com frentes de trabalho, salário-desemprego, jornada de oito horas, legalização de sindicatos, proibição do trabalho infantil, criação da previdência social e outras medidas do tipo.

Outros fatores influenciaram, entre eles a crise do petróleo por conta dos conflitos no mundo árabe. Mas, também, por Paul Volcker (presidente do FED, o Banco Central americano) ter evitado o surgimento de uma moeda internacional por meio do aumento da taxa de juros, tornando o dólar uma mercadoria atrativa. Além disso, nos anos de estagflação americana, os dólares foram para a City britânica, uma proto-Wall Street, iniciando a busca por valorização. Na crise do petróleo, os eurodólares se juntaram aos petrodólares. O movimento do capital em favor de sua valorização, obviamente em uma época de recessão mundial que se abateu por conta da crise do petróleo, se tornou uma força insuportável. Tudo o que se pedia era a liberalização do mercado para transações exclusivamente financeiras. Foi o que de fato ocorreu. Dali em diante, nós, os indiozinhos com cartões de crédito, iríamos brincar com algo bem mais perigoso que as bugigangas com as quais Cabral nos presenteou. Iríamos brincar com apetrechos dados pelo sistema bancário.

Crise

Volto ao tempo de Cabral e seus amigos. Não foram poucos os portugueses que se hospedaram aqui em nossa terra graças ao náufrago Diogo Álvares Correia, o

Caramuru. Ele colocou os europeus em relação amistosa com os indígenas. Esposou Paraguaçu, filha de cacique, mas também namorou a irmã dela, Moema. Quando Caramuru foi para a França com Paraguaçu, Moema se atirou ao mar buscando alcançar o navio, sendo devorada pelas águas. Vivemos no Brasil, há um bom tempo, essa situação. Nossas elites estão sempre dispostas a deixar algum amor morrer por aqui, contanto que, se "as coisas não dão certo", possam voltar para a Europa ou, quando se trata de alguém da periferia de Maringá, como Sérgio Moro, possa viajar para os Estados Unidos.

Talvez por isso o Brasil tenha se adaptado tão bem à nova geopolítica que repete o que sempre fomos: os vendedores de *commodities* do mundo rural e compradores de manufaturados. Nada disso importa, o que compramos e o que vendemos, para nossas elites. Elas já se renderam ao rentismo. "Se tudo der errado", já têm o dinheiro em paraísos fiscais, sempre na mágica de Fortunatus, que é a proliferação de zeros à direita, numa conta bancária qualquer. O dinheiro sem lastro é rápido. A internet foi criada para que ele pudesse se mover de modo melhor do que os bandeirantes se moveram pelo Tietê, para fazer suas pedras preciosas andarem junto com os índios escravizados.

Essa facilidade com que o dinheiro agora anda não é a única mudança causada pela financeirização. Toda a face do planeta mudou muito rápido e drasticamente por conta desse novo capitalismo. A base disso está na importância adquirida por uma ideia simples, do início do capitalismo, segundo o que mostra a bolsa de Fortunatus: o dinheiro que passeia e volta acrescido de juros, que é o preço adquirido pelo próprio dinheiro. Assim, o dinheiro deixa de servir apenas para adquirir mercadorias como batatas e sapatos, mas passa a adquirir a si mesmo, se faz de mercadoria, e é acrescido de si mesmo por passear nas mãos de outro. O mercado é mercado também do que antes era a mercadoria absoluta, o instrumento da troca de equivalentes, o dinheiro. Cria-se o mais bárbaro instrumento de dominação, cuja ideia sempre esteve embutida no próprio dinheiro: o crédito. As pessoas podem contrair dívidas por conta de terem crédito. Todos podem acreditar que estão participando da vida ao terem crédito. Todos se endividam. Todos passam a ter a consciência da culpa diária. Todos consomem mais do que podem.

Enquanto isso, o crédito abre a possibilidade para um sistema fantástico: surgem agências para comprar dívidas de maus pagadores que, enfim, podem ser mostrados como bons pagadores para terceiros que, enfim, irão comprar também essas dívidas. Esperam o pagamento do primeiro devedor e, ao final, podem descobrir que o primeiro devedor não pagou, perdeu o bem que comprou com o crédito e gerou um efeito cascata de papéis que nada valem. Eis aí a chamada crise financeira, sempre rondando o capitalismo.

Isso não importa. Os capitalistas atuais parecem ter se acostumado a viver perigosamente. O mundo capitalista se acostumou a viver perigosamente. Para alguns, inclusive, há até a ideia de que mesmo sem o proletariado organizado, dado que a fábrica já não é o centro do trabalho, o capitalismo pode acabar. O capitalismo acabaria sem necessitar de coveiros. Uma crise maior que a dos *subprimes* de 2008,[4] num mundo mais integrado e globalizado, poria fim a tudo. Ninguém iria com Paraguaçu, todos nós ficaríamos com Moema.

Karl Marx

Toda essa história pode ser contada pelo menos de três modos. Um deles diz que Cabral, por vontade própria (e determinação do rei), se afastou da rota das Ín-

4 A partir do final dos anos 1990 os bancos americanos passaram a emprestar dinheiro para um volume grande de pessoas, mesmo que elas não tivessem demonstrativo de poderem pagar. Ou estivessem desempregadas. Podiam dar a casa como garantia. Esse crédito bancário era o crédito de "segunda linha" (*subprime*). Os bancos misturaram esse tipo de dívida com dívidas com mais chances de serem honradas. Fizeram pacotes com tais dívidas misturadas e venderam para investidores, sob o aval de agências de cálculo de risco. Essas agências deram o aval. Erraram. As dívidas não foram honradas e o efeito cascata, em 2008, abateu-se sobre os Estados Unidos e teve reflexo no mundo todo. Deu-se uma crise mundial. Dez anos depois, o mundo ainda não recuperou os níveis de emprego de antes da crise.

dias a fim de investigar a distância de Portugal e novas terras, que se sabiam existir – afinal, o Tratado de Tordesilhas já tinha seis anos quando o monte Pascoal foi avistado. Outro diz que Cabral foi pego por uma entediante calmaria marítima e, então, buscando ventos, acabou se afastando demais da costa da África e chegou às terras das nações indígenas. Não sua vontade, mas o destino, o fez descobridor do Brasil. Um terceiro modo diria, então, que Cabral tinha a determinação de averiguar sobre a existência de novas terras, tomando posse delas, e também teve a colaboração das calmarias marítimas, que lhe fez pegar o rumo correto para o que então chamou de Terra de Vera Cruz.

A história do capitalismo é exatamente a história contada nessas três versões. No *Manifesto comunista* há homens fazendo a história. No livro *O capital*, a narrativa é lógica, e é o capital, antes que as classes, que aparece como personagem principal. Marx seguiu em outras obras a articulação entre a vontade cabralina e o destino das calmarias. Podemos explicar a situação do nosso endividamento, de modo sucinto, pela via de *O capital*, a via das calmarias. Seria a via na qual o capital, segundo Marx, atua como uma espécie de "sujeito autômato".

Nesse sentido, devemos começar lembrando que o capital é uma relação social e, ao mesmo tempo, dinheiro em movimento. Esse movimento do capital pode ser visto segundo uma teleologia. O capital em movimento é o capital que cumpre o seu destino de sempre se ampliar no sentido de gerar valor. Para entender essa função do capital, temos de saber bem o que é valor.

Na teoria de Marx o valor é algo especial e fundamental. Ele emerge das relações sociais que se institucionalizaram com o mercado, mas com tal mercado diferente do que sempre existiu como simples escambo ou mesmo com algum regime monetário, vigente no passado pré-capitalista. Marx viu que as mercadorias trazem lucro por seu valor, e não simplesmente porque são compradas baratas e vendidas mais caras. Cada mercadoria tem valor porque ela traz em si o trabalho social médio, ou seja, a atividade laborativa humana em abstrato, no seu interior. Este é o segredo do mercado capitalista: ele põe nas mãos de compradores algo que pode ser usado, mas devolve às mãos de capitalistas mais valor do que aquele que foi necessário para a sua confecção, ou seja, capital envolvido nas maquinarias e capital para pagar a reposição da força de trabalho utilizada na produção das mercadorias. Só a partir dessa noção de valor, e do entendimento de que o processo de valorização é que é o objetivo do capital, que cresce em valor em uma tendência infinita, é que se pode considerar o capitalismo. O capitalismo não funciona pela ganância dos capitalistas, embora esta exista de fato.

Nesse caso, o capital desliza para lugares em que ele pode gerar valor, ou seja, crescer e continuar a se movimentar em função dessa valorização, dessa busca de valorização. Dinheiro parado, entesourado, pode gerar pessoas ricas, mas não gera capitalistas! Desse modo, quando o capitalismo começou a sofrer limites na produção de mais-valor no âmbito do trabalho organizado pelo sistema fordista, ele arrumou um outro modo de valorização, os lugares do capitalismo financeiro. O capital se tornou "capital fictício", na denominação de Marx. Como isso ocorreu?

Bem, essa "fuga do capital para a frente" se dá por conta do que Marx chamou de "tendência de queda da taxa de lucro". Os capitalistas empregam mais e mais máquinas na produção de mercadorias. Com isso, podem diminuir os custos e aumentar o mais-valor, uma vez que recolher mais valor da força de trabalho é algo limitado pela própria jornada de trabalho. Uma economia maquinizada, com tecnologia de ponta, pode diminuir custos, mas no cômputo geral da produção gera um mais-valor menor, pois há menos trabalho humano envolvido na produção da mercadoria. Uma tal situação tende a se agravar, uma vez que o trabalho humano pode ser, no limite, totalmente dispensável.

Máquinas geram máquinas que, por sua vez, geram mercadorias "finais", de consumo das pessoas no seu cotidiano. A taxa de lucro, ou o lucro, é sempre algo que gira em torno do valor. A taxa de lucro cai, no âmbito do sistema, por conta da desvalorização. O capital se desvaloriza e, ainda por cima, gera desemprego, falta de dinheiro nas mãos da família e, assim, crise econômica tendencialmente agravante. Pode-se produzir muito com baixo consumo, crise de superprodução!

Se o capital se desvaloriza no sistema produtivo, ele busca então o sistema financeiro para voltar a crescer. Como funciona o sistema do capitalismo financeiro ou financeirizado?

Se o capital é sempre capital em movimento, ele se põe a comprar máquinas para que, junto com a força de trabalho comprada do trabalhador, se possa gerar a produção de mercadorias. Mas como o empreendedor nem sempre tem o dinheiro para comprar máquinas, ele recorre a quem tem o dinheiro semiparado, na verdade, um dinheiro que entra em movimento exatamente para funcionar como crédito, como empréstimo. Assim, o capital disciplina todos ao trabalho, sendo que este é, no fundo, disciplinado pelo crédito, pelo credor, que passa então a gerenciar toda a operação de modo que o endividado realmente venha a pagar o que deve na data combinada.

Todavia, esse credor tem uma ideia melhor do que esperar o pagamento. Ele diz para outras pessoas, que também possuem dinheiro parado, que elas não são capitalistas, que dinheiro parado não vira coisa alguma, e que para ganhar dinheiro através do dinheiro (ou seja, para terem a bolsa de Fortunatus), o bom seria que elas comprassem as dívidas que estão nas mãos dele. Tornem-se capitalistas! Ele pagaria um tanto mais os juros, advindos dos juros que ele já cobraria daquele que ganhou o crédito, do primeiro emprestador. Essa terceira pessoa, que compra as dívidas, pode também, com medo de não receber nada, pagar para uma quarta um seguro, sendo que esta quarta pessoa lhe dá menos dinheiro que aquele que ela receberia se por acaso existir um calote do primeiro devedor.

Eis que se forma aí o início de uma teia infinita de compromissos de créditos e dívidas. Sempre houve isso no capitalismo. Todavia, quando Nixon liberou o dinheiro do lastro, este passou a circular mais depressa e, associado à tecnologia da informação desenvolvida exatamente por requisito dele, capital, tudo ficou mais fácil. O que era uma simples atividade de crédito passou a ser a atividade *par excellence* do capitalismo, o lugar de busca de recriação do dinheiro pelo dinheiro. No entanto, por que então Marx chamou esse capital aí gerado de "fictício"? Ora, porque este capital não estaria mais sendo valor gerado pelo trabalho, mas valor gerado por uma operação financeira. Não seria uma atividade parasitária do capitalismo, mas seu desenvolvimento normal. O capitalismo nasce com a valorização do capital e, em determinado momento, amadurece na produção de dinheiro como mercadoria, sem lastro e sem qualquer vínculo com o trabalho na sua produção. A busca do valor tende à desvalorização. O capital aponta para o fim do capitalismo.

Se esse fim vai ocorrer ou não, não sabemos. Nunca sabemos se a lógica de uma teoria se realiza historicamente. Nunca sabemos, de antemão, se a calmaria vai nos desviar da rota de modo a nos trazer à Terra de Vera Cruz. Mas uma coisa sabemos bem: uma vez na viagem, todas as agruras de marinheiros são o que não podemos evitar. Sabemos bem que a financeirização trouxe um modo de vida bem diferente para todos nós. Saímos do regime de trabalho ligado às disciplinas e passamos para o trabalho ligado ao controle.

Biocapitalismo

De Cabral passamos às capitanias hereditárias. Tentou-se colocar o índio a ferros, para que ele viesse a trabalhar. Não deu certo. Nossos manuais escolares, até pouco tempo, diziam de forma sem dúvida hipócrita: "O índio não se adaptou ao regime escravo!" Depois, veio a escravidão dos negros da África. Estes, sim, como já eram escravos no lugar de origem, "se adaptaram muito bem" às lavouras que surgiram no Brasil. Os livros de escola raramente diziam, até bem pouco tempo, que após serem libertos os negros ganharam fama de vagabundos, pois só teriam trabalhado por conta de estarem a ferros. Daí nasceu o preconceito. Nunca se disse, com todas as letras, que após a Abolição os negros foram postos nas ruas, sem roupa e sem dinheiro, e que tiveram de se refugiar nos morros, gerando as favelas. Viveram em situação mais primitiva do que a dos índios. Não tinham roupas ou sapatos para vir procurar emprego na cidade. Nem eram acolhidos, uma vez que o imigrante já estava por aqui, trabalhando.

Passamos do trabalho escravo para o trabalho livre. O tal trabalho livre, no entanto, ao menos nas grandes cidades, ganhou novamente a sua prisão, o seu lugar fechado: as fábricas. Elas deram a disciplina utilizada em vários outros lugares: escolas, hospitais, escritórios, tipografias, a caserna etc. Deleuze lembra que instituições desse tipo, regradas pelo taylorismo e pelo fordismo, geraram a chamada "sociedade disciplinar". Seu auge se deu com o pós-guerra. Mas, após a financeirização, esse tipo de sociedade deu espaço para a "sociedade de controle". O indivíduo saiu do ambiente de internato, da disciplina, inclusive ou principalmente corporal, para o ambiente mais flexível, aberto, solto na própria sociedade. A partir daí, nasceu aquilo que Byung-Chul Han chama de o homem do neoliberalismo, que se autoexplora nas condições de empresário e trabalhador ao mesmo tempo, e que imagina estar se divertindo no trabalho, dado que as formas lúdicas adentraram o espaço de trabalho – uma observação feita por Peter Sloterdijk. Em vez da disciplina, essa nova sociedade inaugurou o controle contínuo.

No controle contínuo há o autocontrole: todos nós estamos regrados pelos nossos celulares e, ao mesmo tempo, estamos colhendo dados e trabalhando com a inteligência em rede e em cooperação. O mundo se abre para a criatividade? Estamos conectados e prontos, então, por vivermos em rede, estamos finalmente livres? Em parte. Mas estamos também no interior da financeirização, que nos tornou todos devedores, e também acionistas de fundos de pensão, portanto, em certo sentido, exploradores de outros trabalhadores – e de nós mesmos. Nessa sociedade em que o trabalho imaterial se faz presente, que muitos chamam de sociedade do capitalismo cognitivo, o fetiche do dinheiro é tudo. Ele se movimenta por si só, como dinheiro magnético. Nós acreditamos que nos movimentamos por nós, freneticamente, quando na verdade apenas seguimos o seu fluxo. O fetiche é ilusão, mas é também realidade. Temos a ilusão de sermos comandados pelo Deus-Dinheiro. A ilusão que em grande medida é a realidade: somos de fato comandados pelo Dinheiro-Deus.

* * *

É no Ocidente que se move no biocapitalismo que encontramos o Brasil governado pela direita, tendo por ideologia oficial o neoliberalismo, com o capitalismo financeirizado fazendo do consumo das famílias algo em queda, sendo estas uma presa fácil de dívidas. Nesse contexto, também nosso Estado é devedor. Poderíamos estar vivendo esse inferno sem o diabo. Mas nunca, no Brasil, as coisas não surgem senão de pacote pronto. Então, elegemos Jair Messias Bolsonaro nosso presidente. Nosso infortúnio se somou à nossa vergonha diária.

1. Quem é Bolsonaro?

O filósofo americano Richard Rorty disse certa vez que, enquanto seus compatriotas buscam o prazer na cama, os franceses procuram-no na política. Bolsonaro é um quase francês! Eu disse "quase", para que a minha amiga francófila, a filósofa Olgária Matos, não tenha uma síncope. Afinal, os franceses sabem pensar corretamente.

A imprensa precisa levar um presidente a sério. Se o próprio presidente, como é o caso de Bolsonaro, não respeita aquilo que José Sarney chamou um dia de "liturgia do cargo", e se ele posa contra rituais necessários e tradicionais honráveis, então a imprensa mais ou menos finge que não vê e o trata como um governante de fato. Mas o correto seria não esperar de Bolsonaro nenhum governo. O seu modo de governar é o puro desgoverno. "Vamos jogar pesado nisso aí", dizia ele em campanha. Mas não se sabia, então, o que era o "jogar pesado". Agora sabemos. Trata-se de promover a mera balbúrdia (a palavra aqui é proposital) ideológica. É isso que dá prazer relativamente genital em Bolsonaro. A política ideológica é a sua vida e a sua vida é a política ideológica. Fora disso, ele precisa atirar com arma verdadeira ou fazer a arminha com as mãos, e assim ele se imagina um herói soldado – o que de fato ele nunca foi.

Há pessoas que se cristalizam em determinado momento da infância ou da juventude. A pedofilia do herói do romance Lolita, de Nabokov, é confessada por ele como uma cristalização. Quando ele perdeu a namorada, aos 15 anos, algo se cristalizou nele. Ele nunca mais superou aquela idade. Há muita gente assim. Talvez, em certo sentido, todos nós, mas em graus variados! Há algo da juventude que fica, que marca, que é insuperavelmente bom ou insuperavelmente ruim. Mas a maioria de nós toma isso como lembrança forte – apenas isso. Bolsonaro ganhou de sua juventude não um elemento de lembrança, mas de cristalização. Ele incorporou a chamada "ideologia da segurança nacional" do regime militar de 1964, e justo dessa ideologia aprendeu a "geopolítica de Golbery".[5]

Mesmo sendo posto para fora do Exército, Bolsonaro continuou um militante do regime daquele período. Ele se mantém até hoje como um garoto que entrou para a Academia Militar das Agulhas Negras, que foi empurrado para passar de ano, e que, enfim, não tem vida própria senão aquela que teve aos 17 anos. Ele é até hoje alguém que vive do anticomunismo. É tam-

5 O general Golbery do Couto e Silva foi o criador do Serviço Nacional de Informações (SNI), um articulador político no interior do regime militar instaurado em 1964.

bém o garoto que idolatra a bandeira americana, contanto que ela se pareça com aquilo que o movimento de supremacia branca defende.

Por mais que a cadeira da Presidência venha a exigir de Bolsonaro algum ato administrativo, ele vai fazer questão de fugir desse encargo. Bolsonaro é o presidente de leis de trânsito, salários de policiais, amor a caminhoneiros e bravatas anti-intelectualistas. Mas o que ele gosta mesmo de fazer é fustigar as esquerdas. Ou melhor: fustigar tudo aquilo que ele imagina que é de esquerda. Bolsonaro atua como criança pirracenta. Se algo lhe é apresentado como tendo algum vínculo com a esquerda, então ele fala contra.

Bolsonaro vê na Constituição de 1988 não o que ela é, uma boa peça para a defesa do capitalismo e da sociedade de mercado, do liberalismo e dos direitos individuais inerentes ao modelo liberal. Ele a vê segundo os embates travados na época de sua confecção. Os preceitos liberais nela contidos foram defendidos por pessoas de esquerda – como é o comum em democracias ocidentais –, por isso mesmo toda a Constituição deve ser destruída. Bolsonaro acabou concordando com o neoliberalismo de Paulo Guedes exatamente por conta desse fato: é necessário extirpar o cheiro de social-democracia que pode emanar da Constituição de 1988. Tal cheiro foi que fez com que Ulysses Guimarães a tenha denominado "Constituição Cidadã". Bolsonaro é contra a cidadania.

A concordância de Bolsonaro com Guedes veio desse inimigo comum: Previdência e direitos trabalhistas. Mas a sua libido foi mesmo atiçada por Olavo de Carvalho, o seu ideólogo desescolarizado de plantão. Pois Olavo, dentro de sua loucura terraplanista, lhe prometeu o tal prazer corporal tão sonhado. Olavo ensinou Bolsonaro a acreditar em si mesmo como sendo um "herói do povo", que poderia governar sem o Congresso, só chamando as pessoas para as ruas e posando de anti-establishment ou antissistema. O investimento libidinal de Bolsonaro é voltado para tal. E só assim ele tem prazer.

A confusão ideológica que ele provoca é proposital. Ele não sabe viver em paz. Quando olhamos Bolsonaro, temos sempre de nos lembrar de uma fala do filósofo alemão Theodor Adorno. Ele comentou certa vez dizeres de um alto oficial do comando nazista. O homem afirmou: "Depois que tudo isso acabar [a guerra] poderão dizer tudo de nós, mas jamais que fomos entediantes." Sim, Bolsonaro quer a guerra ideológica, a confusão. Ele não tem sossego. Ele foi um deputado que, sozinho na Câmara, por trinta anos, fez discursos anticomunistas para ninguém! Ele se emulava. Era sua única opção de prazer, um tipo de atividade masturbatória.

2. Sérgio Moro, herói da classe média

Bolsonaro e Moro são figuras bem diferentes uma da outra. Mas há algo em comum entre elas: a terra. Moro é de Maringá e Bolsonaro é de Presidente Prudente. Basta traçar um triângulo com dois vértices nessas duas cidades e tendo o terceiro vértice ou em Ribeirão Preto ou em Campinas, para se ter o desenho de um dos rincões mais conservadores do Brasil. Se o Brasil foi o último país a abolir a escravatura, devemos lembrar que Campinas foi a última cidade dentro do Brasil a acompanhar a Abolição!

A riqueza do campo, hoje demonstrada por todos os índices, guarda fantasmas que ainda choram nas fazendas escravagistas, no lado paulista, e há a natureza das árvores transformadas em madeira, que também se lamentam, no lado paranaense. Uma das classes médias mais endurecidas do Brasil se situa nesse rincão, enriquecida pela atividade do chicote, do machado e da motosserra. A natureza humana e a natureza verde sofreram muito para dar origem ao mais alvissareiro reacionarismo do país. Só de um lugar assim poderiam vir Moro e Bolsonaro. Os capatazes do Sr. Capital.

Mas o caso de Moro, de Maringá, tem uma peculiaridade a mais. A classe média paranaense não tem identidade, não se sente uma verdadeira burguesia. Para tal, ela precisa imitar o que vê como autêntica burguesia, a elite paulista, quiçá paulistana. Tomam-nas como elas se apresentam nas novelas da Rede Globo. A esposa de Moro sempre sonhou com isso: ser alguém da "verdadeira burguesia". Ela ensinou Moro a pensar em como seria gostoso poder ser legitimada como uma autêntica mulher da elite se pudesse, um dia, entrar na casa do João Dória! Isso ocorreu. Moro foi condecorado por Dória e o casal foi recebido pelo casal paulistano. Foi a glória para o casal interiorano!

A ideia básica de Moro é poder ser paulista. Ele se sente superior a Bolsonaro. Fica ali, sob o jugo do tosco, mas se acha mais que ele. Na verdade, nem é tão superior assim. Um fala "poblema" e outro fala "conje"! Acredita poder fazer política em São Paulo. Crê conseguir até ficar mais tempo em Brasília – no Supremo Tribunal Federal (STF)? Trabalhou bem no alpinismo social. A Lava Jato foi seu grande trunfo. Foi sua escada maior. Uma escada suja, mas ainda assim escada.

Ele começou ajudando a Lava Jato como qualquer um de classe média faria. Aos poucos, foi percebendo que seu nome era popular demais, que havia se transformado em herói nacional. Começou a dar palestras, tirar fotos, e então decidiu dirigir pessoalmente a Lava

Jato, atuando fora da lei ao se corresponder com o procurador Deltan Dallagnol. Feriu a lei – sim, de verdade.

Quem investiga é a polícia, quem acusa é a promotoria e, enfim, o juiz deve apenas julgar. Ele, Moro, não poderia ficar de compadrio com a polícia e a promotoria. Moro jogou para o alto essa regra básica e virou ao mesmo tempo policial, promotor e juiz. A partir daí, não se importou mais em acreditar que podia combater a corrupção (o problema nacional máximo segundo as classes médias do mundo todo) de acordo com o seu credo ideológico. Passou a dirigir sua ação pelo seu credo: Lula – e só Lula – é o que importava. Por isso, não se sentiu nem um pouco incomodado com a possível destruição da Lava Jato se viesse a aceitar algum cargo de Bolsonaro. De fato, aceitou, tornou-se seu ministro da Justiça. Virou vidraça fácil. Foi atingido por mais de uma pedra, um meteoro: Glenn Greenwald trouxe a público o que Moro sempre negara, que ele havia trabalhado na direção da Lava Jato.

Moro é um exemplo típico da "época Bolsonaro". O presidente, aliás, chegou a dizer claramente: "Sem ele, eu não teria sido eleito." Isso não quer dizer que Moro e Bolsonaro trabalharam de comum acordo, de modo conspiratório, mas, sim, que eles trabalharam no mesmo sentido, não se conhecendo pessoalmente de modo mais próximo. Mas não precisavam mesmo disso. A terra os unia. O triângulo a que me referi os uniu antes de eles nascerem.

Sérgio Moro tem uma dificuldade imensa em alternar sua figura de juiz, ou ex-juiz, com a de ministro político. Ele continua sendo um juiz autoritário, que não consegue viver com a liberdade política, mas tem de se conformar a ela na condição de ministro, e por isso geme diante da liberdade de imprensa. A liberdade de imprensa, enfim, fez de sua vida algo complicado. Até o papa atentou para isso, e lhe passou um pito indireto. Tudo isso afetou mais a sua esposa que a ele mesmo. Mas ela ainda continua querendo mais poder. Como membro da burguesia paranaense, ela deseja ser reconhecida como tal pela burguesia paulista. Só assim uma burguesa do Paraná vira gente. Este é o verdadeiro calcanhar de Aquiles de Moro, em três formas: sua ambição desmedida; sua autoimagem, que cria um autoengano; sua fraca capacidade intelectual, que o faz um homem de uma vaidade extremada.

Na condição de ministro da Justiça, Moro se revelou um propagandista de má-fé. Sua prática se fez de modo bem característico. Suas propostas de lei nunca deixaram de ferir alguma cláusula do estado de direito, mas a sua interpretação dessas suas propostas, cantada por ele mesmo nas redes sociais, jamais se fez segundo a própria letra da lei, e sim a partir de uma fantasia adrede preparada, especialmente voltada para conquistar o público bolsonarista.

Assim, no seu "pacote anticrime", criou a figura do policial que poderia se safar de punição caso atirasse movido por "medo, surpresa e violenta emoção". Ora, quem atira sob tais condições é o não policial. O policial, por sua vez, deve ter o treinamento necessário para se distinguir da população e ser um profissional autêntico, o que significa jamais atirar por medo ou surpresa e muito menos por algo tão vago quanto "violenta emoção". Com tal dispositivo, o pacote anticrime de Moro passou a contar como uma cunha na formação do policial. Igualou a atividade do cidadão comum ao que é o exercício do policial, de modo a tornar desnecessário qualquer gasto na formação do policial. Mas, ao falar do pacote anticrime na imprensa, Moro não respondeu por tal cláusula, se limitou a dizer – de modo cínico e irresponsável – que o texto não permitiria ao policial "atirar primeiro e pensar depois".

Na sua Portaria nº 666, referente ao impedimento de entrada, à repatriação e à expulsão de estrangeiros do país, atribuiu ao Estado o direito e o dever de deportar o "suspeito" de ser um "estrangeiro perigoso" em 48 horas, em rito sumário. Quantos à deportação de alguém por meio de rito sumário, sem que exista condenação e, sim, apenas simples suspeição, já é algo questionável. Piora bem se consideramos que "estrangeiro perigoso" é uma expressão completamente vaga. Ao ir para as redes sociais na defesa dessa sua portaria, Moro omitiu a letra da lei e disse "só mesmo no Brasil defendem que suspeitos de exploração sexual infantil não devem ser barrados". Ora, a letra da lei não falou em "barrados", mas, sim, em rito sumário de deportação. Além disso, o explorador de crianças é discriminado na letra da lei, mas ao lado de "estrangeiro perigoso". Desse modo, o "estrangeiro perigoso" continua indefinido. Moro falou o que falou para atrair o público bolsonarista, sempre ávido de ver governantes punitivos, para além de qualquer respeito ao estado de direito.

3. Olavo de Carvalho, o terraplanista

Dizem algumas estatísticas que os Estados Unidos, apesar de ter uma população altamente escolarizada, tem 20% de sua gente como adepta da crença de que a Terra é plana. O Brasil quis ajudar o primo rico do Norte, e então mandou para lá, a fim de engrossar essa estatística esdrúxula, um brasileiro: Olavo de Carvalho. E, para diversificar, fez questão de enviar um brasileiro já meio fora de moda, pois ele ainda é desescolarizado. Jamais conseguiu terminar o ensino básico.

Olavo de Carvalho fala pelos cotovelos e fuma a ponto de parecer uma fábrica londrina do século XIX. Sua fala é como a fumaça daquela época: um agente poluidor, tóxico. Olavo consegue a cada dez palavras falar onze coisas estúpidas. E todas elas calçadas em esquisita escatologia.

Lá dos Estados Unidos, esse guru de poucas letras comanda a cabeça de Jair Bolsonaro e de seus filhos. Nunca chegamos a uma situação tão calamitosa como essa! Nunca tivemos um presidente ouvindo um terraplanista – e lhe dando crédito! No máximo tivemos d. Pedro II acolhendo aqui palestrantes antievolucionistas.

O que esse homem, o tal Olavo, diz para Bolsonaro? Diz o que este quer ouvir: “Mantenha-se na guerra ideológica, não ligue em administrar nada.” Mais ou menos isso. Afinal, Olavo tem isso em comum com Bolsonaro: também ele só tem prazer na vida enquanto está no embate ideológico.

Olavo de Carvalho é fervoroso anticomunista, embora não faça ideia – por causa de sua fraca escolaridade – o que vem a ser o socialismo ou o comunismo. Gramsci e a Escola de Frankfurt, por exemplo, têm posicionamentos bem diferentes no âmbito da literatura marxista. Olavo os toma como iguais e os coloca sob um rótulo esquisito, o “marxismo cultural”. Fico pensando se existe o “fascismo cultural”! Bem, o fascismo incultural existe, é onde está Olavo.

Mas o objetivo de Olavo de Carvalho em relação à família Bolsonaro não é propriamente político ou ideológico, como ele quer fazer crer. Na verdade, Olavo é um eterno fracassado, desempregado, e o que ele realmente desejava, ao dominar a família Bolsonaro, era dinheiro. Ele indicou pessoas para o governo e ficou esperando que tais figuras o recompensassem com cargos ou tarefas rentáveis. Chegou mesmo a colocar em pauta a necessidade de brasileiros do governo fazerem cursos com ele, lá no exterior. Mas o general Carlos Alberto dos Santos Cruz, da Secretaria de Governo da Presidência da República, cortou as asas do guru. Não cedeu seus pedidos de verbas. Este, então, vendo tudo perdido, chutou o pau da barraca e passou a ofender os militares no governo. O resultado disso é que emulou libidinalmente Bolsonaro, mas emperrou de fato o governo em quase seis meses.

Olavo de Carvalho contribuiu em muito para criar na direita brasileira uma visão pouco racional, sempre adepta de teorias da conspiração. Por ter escolaridade baixa, ele jamais entendeu os princípios de causa e efeito, ou os princípios de necessidade lógica. Assim, ele só é capaz de ver a história e os feitos políticos como tramoias adrede preparadas. Tudo ele assim julga. Ele imagina comunistas em todo lugar, do mesmo modo que qualquer marqueteiro do turismo em Varginha anuncia que ETs estão lá, principalmente nas férias. O pensamento mágico e infantil de Olavo cai bem com o dos bolsonaristas, mas prejudica demais os jovens conservadores, que passam a segui-lo e, então, desaprendem de pensar corretamente.

O tal guru pertence ao grande movimento anti-intelectualista do mundo contemporâneo. Tal movimento é contra vacinas, diz que cigarro não faz mal, insiste em defender o trabalho infantil e atende às teses que, em geral, na internet, dão guarida para os "anarcocapitalistas" – vá lá saber Deus o que vem a ser isso!

Com esse tipo de atitude, andou atraindo alguns escritores brasileiros, também próximos do bolsonarismo, como Luiz Felipe Pondé e outros.[6] O pensamento de que todo o mal do mundo vem da esquerda, de modo quase patológico, agrupado às teorias da conspiração, fizeram de fato uma base de apoio a Bolsonaro, algo comungado por ele e por seus filhos. É difícil acreditar que, um dia, Bolsonaro abandone seu guru. Eles estão irmanados pelo modo de obter prazer.

6 Luiz Felipe Pondé e Olavo de Carvalho se indispuseram um com o outro no decorrer do governo Bolsonaro. Aliás, uma prática que se tornou normal entre os candidatos a gurus e mentores da direita.

4. Joice, a bolsonarista

A deputada Joice Hasselmann é tida nos meios jornalísticos como um pouco limitada intelectualmente. Foi demitida de uma revista por conta de mais reproduzir textos, na base do puro plágio, do que realmente produzir seus próprios escritos. Usou dessa sua desvantagem para se lançar na política, fazendo antes panfletagem que jornalismo, e conseguiu agora um belo salário de deputada federal. Sua sigla? Ah, sim: PSL!

Ela diz que foi para o PSL por imposição da lei. Gostaria de ser candidata avulsa, sem partido. Não podendo fazer isso, optou por estar junto de Bolsonaro. O capitão reformado é um ídolo para ela. Ela defende as suas pautas, até mesmo aquelas que não combinam nada com mulheres que dizem entrar na política para "renovar". Joice é mais que uma defensora das posturas neofascistas do capitão; na verdade, ela dá mostras de paixonite. Em entrevista para o jornal *Valor Econômico* (1/2/2019), ela diz que Bolsonaro não é machista, e sim "um menino sorridente e brincalhão". Segundo ela, o capitão é bom porque "é machão. É firme. É duro. Para mim, é absolutamente normal". E acrescenta: "Eu vim do interior do Paraná." Pois é, interior do Paraná, a terra do Moro.

O fato é que Joice não fala com o pai, e ela já confessou que se trata de "um homem violento". Eis então que tudo se explica. Sua filiação a uma direita endurecida e seu gosto pelo tosco capitão reformado está diretamente ligado a uma tal situação.

Não é raro que filhos de pais machistas violentos cresçam com o amor interrompido. Querem o pai. Amam o pai. Todavia, não podem conviver com ele e, pior ainda, não podem apresentá-lo. Como vários homossexuais que votam em Bolsonaro, mesmo ele sendo claramente homofóbico, Joice não diz o nome de seu pai. Também como eles, a reconciliação com o pai vem por meio de Bolsonaro. Este tem o comportamento do pai, mas pode ser apresentado socialmente porque foi deputado, agora presidente, e na prática a trata bem. Bolsonaro é toda a desgraça que o pai é, mas com a vantagem que pode ser posto numa roda de amigos como um namorado.

Essa reconciliação com o pai violento, por meio de Bolsonaro, faz Joice poder respirar. Alinhada com o capitão, ela se sente em casa, mas com uma vantagem que não poderia nunca ter com a figura do pai: a manutenção da figura paterna intacta, um dócil objeto de amor disponível. Pais autoritários violentos não jogam seus filhos para o polo oposto. Não raro, empurram seus filhos para a reprodução de seu comportamento, mas de modo socialmente aceitável. Como vários homossexuais que defendem Bolsonaro, também Joice encontra na figura do capitão, sem qualquer consciência disso, uma volta para casa, mas não para ver o pai bater na mãe, e sim para ver o "machão" que fala coisas violentas, sem com isso desferir golpes. É a chance de um bom namoro.

Muito das figuras que amam fascistas têm esse perfil de Joice. O caso dela, não creio que tenha recuperação. Mas é alguma coisa que deveríamos notar no sentido de criarmos nossas crianças não alheias ao conhecimento de que existe a violência paterna, mas sem que a violência paterna possa se exercer.

Joice nunca é apresentada, ela mesma se apresenta, se insinua, se sexualiza quando quer sensualizar. Joice faz tudo para parecer erótica, mas sua política é pornográfica. Ela escancara sua ignorância. Defende textos que nem sequer leu. Fala frases repetidas que não entende. Ao tentar entender o que é a proposta neoliberal de Guedes, se perde completamente, e então ela decora frases que repete com segurança. Afinal, foi Paulo Guedes quem ensinou! E se Paulo Guedes ensina Bolsonaro, então, não há razão para não segui-lo cegamente. Ela nem pode fazer outra coisa. Seguir, no caso dela, sempre será cegamente.

5. A direita hormonal

Terminada a Segunda Guerra Mundial, os Estados Unidos trouxeram para a Europa o Plano Marshall de reconstrução do Velho Continente. A ajuda chegou também, claro, ao Japão. Até o Brasil ganhou o seu quinhão: a siderúrgica de Volta Redonda e um velho porta-aviões, o *Minas Gerais*. O naviozão manteve-se único e serviu mais como peça de visitação do que qualquer outra coisa. Por todo o mundo, a retórica americana aparecia vencedora e sedutora: a de que seríamos bons se pudéssemos viver no estilo da "classe média", ou seja, no estilo dos americanos. Eles eram os donos da ideia de classe média, tomada em um sentido bem particular e regional.

Isso era o núcleo do American way of life. Nos anos 1950 e início dos anos 1960, esse dístico não tinha a ver com o consumismo – não como o identificamos hoje. Tinha a ver com uma imagem da construção do homem do futuro próximo. Aquele que Nietzsche disse que havia inventado a felicidade. A maioria das crianças, nessa época, cortava o cabelo na base da tigela ou, então, deixando um topetinho na testa, um tanto ridículo. Mas logo mudaram para o "corte americano". Era diferente. Era para se parecer com John Wayne ou coisas do tipo. Todos os jovens tinham de ser "machos", brancos e fantasticamente héteros – de preferência esportistas. Deviam ser leais aos pais, indivíduos *par excellence* (como pede o meu amigo psicanalista Contardo Calligaris) e, enfim, gentis com as moças. Nem todos conseguiam tal façanha, mesmo quando o modelo, mesmo da direita, já era mais cabeludinho, como o caso de Clint Eastwood.

Contra essa imagem do jovem de direita, surgiu o jovem ou hippie ou militante. Cabelos compridos, um blazer, com barba ou sem barba, conforme o momento, e tênis. Os anos 1970 embaçaram tudo, pois na esquerda e na direita venceu o tipo brega e o espalhafatoso. Eu mesmo tive uma calça roxa com boca de sino: 53 centímetros de diâmetro! Eu era de esquerda.

Nos anos 1990, no entanto, contra toda a profusão de estilos, por conta do surgimento das "tribos urbanas", a direita inventou o estilo yuppie. O jovem neoliberal. Cabelo aparado, terno apertadinho de cor discreta junto de uma pequena maleta e sapatos bem brilhantes. O menino de sucesso, até antes da hora! O jovem executivo – contraponto ao estilo do universitário desleixado, militante de esquerda, e contraponto também ao velho curtidor da vida, símbolo do paz e amor dos anos 1960 e 1970. O hippie, por sua vez, virou "hipongo" – estilo decadente. E, aliás, também se queria que se tornasse decadente o sindicalista universitário ou o militante de esquerda. O fim da URSS de fato começava a dar seus frutos no campo da tipologia e da moda.

Mas a direita não conseguia emplacar seus estilos. Era difícil substituir o estilo durão. A direita não conseguia atrair os jovens. A rebeldia jovem parecia que nunca se adaptaria ao estilo da direita. Além disso, o cinema logo colocou o yuppie como vilão – o filme *Ghost* marcou época. Não podemos esquecer do personagem, o traidor, representado por Anthony Howard "Tony" Goldwyn. Ele era um típico yuppie.

Então, a direita continuou procurando o seu estilo. Queria encontrar um modo de vestir a juventude. Queria dar um padrão de comportamento, de modo que o jovem pudesse aderir e, assim se expressando, pudesse ser identificado como conservador. O que se desejava era encontrar um estilo de ser de direita e ao mesmo tempo ser jovem. Nasceu então a direita hormonal. Ela é uma espécie de resto do neoliberalismo. Ela mistura estilos: "somos do mundo, somos iguais, somos simples". "Não somos filhos de executivos ricos" (embora sejam, não raro!). "Mas somos jovens e, portanto, no nosso estilo há algo de desleixado, marcante, simples demais, folgado."

O que é a direita hormonal? É gente que faz de si mesma um personagem. Alguém que, no descuido de quem escuta, acaba até falando de si na terceira pessoa. São personagens que seguem as regras dominantes do mundo mercadizado, mas que se posicionam contra algum tipo de *status quo*, mesmo aparente, para que a fama de rebelde se espalhe.

O jovem de direita não tem idade, tem hormônios. O importante é ele ir contra a cultura estabelecida pelos clássicos, em especial o que ele toma como "esquerdismo". O importante é ele falar contra professores, contra ideais de igualitarismo e, em especial, contra as tendências liberacionistas de mulheres, gays, negros e outras minorias. Não raro, ele alimenta tendências anti-intelectualistas mundiais: fundamentalismo religioso, o não crédito em vacinas e, se deixar, posa de ignorante terraplanista. Assim, é fundamental que ele se vista com um tom que mescla o sóbrio comum e o desleixado, algo que represente o não estilo, o não fechado, o não uniformizado. Trata-se da rebeldia de imagem. A direita jovem não tem idade. Tem apenas silhueta: com pança ou sem pança.

Os estilos da direita hormonal se fazem sentir no look de um Luiz Felipe Pondé ou de um Lobão. Também pode emergir um Roger (do Ultraje a Rigor), um Danilo Gentili, um Kim Kataguiri e um Arthur "Mamãe-Falei". Há também o Caio Coppola, aquele do eterno sorriso amarelo. Aceitam-se mulheres? Não! Mas é possível aproveitar algumas que se fazem de afoitas, no estilo-sem-estilo de Joice Hasselmann e Janaína Paschoal. Aceitam-se negros? Sim, contanto que sejam bem obedientes a brancos e comunguem ideias que possam corroer as do movimento negro. Aqui, um detalhe: o negro, nesse caso, nunca pode manter seu cabelo, tem de sempre estar de corte novo. Mudar sempre é uma forma de ser negro sem sê-lo, não à toa Fernando Holiday tem um corte novo de cabelo por semana. Qual o lema? "Fracassados do mundo, uni-vos". Unem-se em torno da meritocracia, mas são os não vitoriosos nesse esquema. Aliás, quando conseguem algum sucesso, é sempre no que não queriam ser!

O importante nessa direita hormonal são os hormônios! Eles, os jovens e não muito jovens dessa direita, precisam parecer rebeldes – isso contra o que eles mesmos caracterizam como o "intelectual" (o professor) ou o "esquerdista" (qualquer um que fale em igualdade de oportunidades). Criam fantasmas velhos e novos para se colocarem na oposição. São oposição sendo situação! Comportam-se como os contestadores radicais do momento. Podem fabricar o comunismo, para serem anticomunistas, ou podem mostrar o feminismo em versão caricaturesca, para serem antifeministas. O importante é atrair jovens no sentido de ganhar para o campo da direita os que precisam deixar os seus hormônios fluírem. Finalmente a direita conseguiu não ser repressora, ao menos à primeira vista, pois parece ser libertária no sentido de dar combate a tudo que nos fez sermos civilizados. É da direita, agora, o direito de falar em "mal-estar na civilização". Oh! Às vezes ela chega até mesmo a aceitar os gays – ou se não pode fazer isso, então apela para um estranho celibato ou abstinência, como é o caso dos meninos do MBL. Aqui, nesse caso, funciona o lema que circula na web: "Caio Coppola não copula."

O mais ridículo dessa direita hormonal, em sua ânsia por um estilo próprio, é terminar sob o jugo de um desescolarizado, tipo Olavo de Carvalho, e sob o comando político de um capitão reformado que anda de camiseta e chinelo, não para ser popular, mas para ser o que é, uma pessoa que foi afastada do Exército. Bolsonaro não é o parteiro dessa direita, é seu sepulcro. Essa direita, nesse estilo, não vai durar muito, pois ela tem como ícone um Nando Moura, a expressão máxima daquilo que a internet batizou de bozolândia – a terra do Bozo, apelido do Bolsonaro. Isso tudo é efêmero. A direita eterna nunca será outra que não a de John Wayne.

6. 01, 02 e 03 – os rebentos do capitão

Huguinho, Zezinho e Luizinho são sobrinhos de Donald. E este é sobrinho do milionário Patinhas. Formam uma família sem pais. Espelham claramente o capitalismo, no qual as relações naturais nada valem e são substituídas pelas relações postas pelo dinheiro. Essa visão interessante marcou época, na crítica do hoje já clássico *Para ler o Pato Donald*, de Ariel Dorfman e Armand Mattelart.

Zero 1, Zero 2 e Zero 3 – assim são chamados, por ele próprio, os filhos de Jair Bolsonaro. Agem não bem como filhos, mas como os sobrinhos do tipo desses que lemos em HQs, ainda que bem menos inteligentes. No lugar do Manual do Escoteiro, que certamente não entenderiam, usam algum livro do Olavo de Carvalho, no qual se ensina que tudo foi criação de Incas Venusianos Comunistas ou algo parecido. Os elos naturais de parentesco, nesse caso, também se desqualificam. Eles estão ligados por ideologia e prática. A ideologia é um anticomunismo rasteiro e bastante ignorante e a prática é a aprendida com o próprio Bolsonaro, nos célebres discursos deste como deputado, quando pedia que a milícia do Brasil viesse para o Rio de Janeiro. Ele dizia que iria recebê-las de braços abertos. E assim fez mesmo! Deu no que deu!

Zero 1, Zero 2 e Zero 3 são Flávio, Carlos e Eduardo. O primeiro é senador. É o que está envolvido diretamente no caso Queiroz. Esse tal Queiroz tem vínculos com a milícia, inclusive aquela que matou Marielle, a vereadora do PSOL que lutava por Direitos Humanos. O segundo é vereador. Trata-se do dono do Twitter do pai. Bolsonaro o chama, paradoxalmente, de Pit Bull. O terceiro é deputado. Ficou famoso nas redes sociais por vestir uma camisa com a estampa do rosto do torturador Brilhante Ustra. Também foi bem cotado nas redes sociais por conta da história de que porta um micropênis – daí viria sua raiva de mulheres e seu apreço por armas.

Essa fama de Eduardo se estabeleceu por conta de seu ódio ao programa Mais Médicos, do governo Dilma. Ele forçou o pai a extinguir o programa. O problema todo é que um médico cubano lhe roubou a namorada. Eduardo reclamou de público, ofendeu a moça. A réplica dela veio instantaneamente pelas redes sociais, informando todos sobre a disfunção do rapaz, devido ao tamanho reduzido de sua genitália.

A função desses rebentos é a de tornar o pai, em casa, uma pessoa que se imagina normal. Bolsonaro vive de delírios anticomunistas. Não tem vida pessoal. A política ideológica é a sua vida. E vive num mundo separado do mundo de todos nós. Criou uma bolha para si mesmo. Sentiria algum desconforto se isolado de modo completo. Teria que enfrentar o choque com a realidade a todo momento. Mas na bolha sente-se bem. A bolha é gerada pela presença dos Zeros. Eles apoiam o pai incondicionalmente, eles funcionam como um id do pai, mantendo vivo, por eles mesmos, aquele pai que fez "traquinagens" na juventude, como aquela tentativa de explodir bomba em quartel – o que gerou seu afastamento do Exército.

Tudo isso seria tolerável pela nação se eles ficassem nisso, mas não ficam. Eles funcionam como ministros sem pasta do pai. Sem qualquer nomeação ou cargo real, adentram reuniões, dão palpites, entram em negociações paralelas e, enfim, chegam até a querer comandar as Relações Exteriores. Alimentados pelo guru Olavo de Carvalho, eles imaginam saber alguma coisa, mas nada sabem. O caso de Eduardo mostra a pura estupidez dessa gente. Ele chegou a afirmar em rede social que só as pessoas de esquerda, "como Hitler e Lula, quiseram desarmar o povo". É preciso comentar?

Flávio Bolsonaro seria o braço mais forte, uma vez senador. No entanto, ao se envolver com a confecção de "caixinha" na Câmara do Rio, gerou o "caso Queiroz". Passou a ser investigado pela Polícia Federal e, em certo sentido, enfraqueceu todo o governo. Flávio é, na verdade, a porta de entrada da milícia para o governo Bolsonaro. Ali, com ele, se esconde a parte mais podre da família que, enfim, se deseja imperial.

Carlos Bolsonaro é, sem dúvida, o que mais causa problemas inusitados ao governo. Ele se insurge contra membros do governo e deixa claro que fala pelo pai. Este, por sua vez, não o desautoriza, e finge que o atingido pelo filho pode se manter no cargo. Nunca se sabe, na verdade, se o atingido cai por ter sido cozinhado ou não. O fato é que os três filhos agem com aval do pai. Jair Bolsonaro adora seus meninos. Quer vê-los antes no projeto da balbúrdia ideológica que em qualquer outro lugar. Com Carlos, todavia, estabelece-se uma relação de tensão.

Carlos não suporta que homens se aproximem do pai. Ele atacou o vice-presidente da República, general Mourão. Depois, fez o mesmo com o general Heleno. Bastou alguém se aproximar do pai e, de certo modo, se sobrepor à imagem do chefe do clã, ou se mostrar muito amigo, para Carlos virar o tal Pit Bull. A questão aí é grave. A luta de Carlos para ser aceito pelo pai – mesmo ele tendo um relacionamento afetuoso com seu primo Leo Índio – é um dado complicado para um homofóbico como Bolsonaro. Além disso, a impressão que se tem é que Carlos precisa do pai não para ser amado, mas para completar o seu caminho edípico não resolvido. Assim, qualquer sombra que se faça ao pai, o apavora e o enraivece. Afinal, se o pai some de sua visão, isso o deixa sem a referência necessária na continuidade da competição edípica. Desse modo, Carlos funciona como que um policial ao lado de Jair Bolsonaro. Este, por sua vez, se faz de compreensivo. Parece entender o drama! Talvez aí tenhamos o pai mesmo, Bolsonaro, na sua luta interna para se aceitar e aceitar o filho. Nos dois casos, projetos impossíveis de se realizarem.

7. A tal "ideologia de gênero"

Nunca ninguém falou que menina é menino e menino é menina. Mas a direita, em especial a que se aglutina em torno de Bolsonaro, acredita que muitos dizem isso. Essa direita denomina tais pessoas de adeptos da "ideologia de gênero". Tal direita criou essa denominação para enquadrar os teóricos e professores envolvidos em "estudos de gênero". Obviamente, a direita não sabe do que se trata.

Participando dessa formulação esdrúxula, Bolsonaro trouxe para o seu corpo de ministros uma mulher capaz de lançar frases fantásticas: Damares Alves. Ela tratou logo de demonstrar que confundia religião com práticas governamentais e, além disso, que tinha vocação para mentir sobre o seu currículo. Afirmou ter mestrados e doutorados. Verificou-se que nada mais eram que cursos não regulamentares. Foi dela a frase que se tornou famosa, ao menos durante um tempo: "Menina usa rosa e menino usa azul."

Na verdade, a ideia de combater a "ideologia de gênero" também ocupou a boca de Bolsonaro em diversas ocasiões. A direita insiste na ideia de que "sexo é algo biológico" e que "só há dois gêneros, masculino e feminino". Então, define ambos por resultados de uma averiguação bem antiquada: há de se encontrar "vagina" e "pênis", e isso tira qualquer dúvida sobre o que somos e o que podemos ser. Qualquer ensinamento que mostre que as coisas são mais complexas a direita trata como "culturalismo", e nos exemplos vê "aberrações". Para os conservadores, "culturalismo" quer dizer apenas o seguinte: a tese de que podemos inculcar nas crianças – pela ação cultural e escolar – a ideia de que elas não são meninos ou meninas, mas são o que quiserem ser, sem qualquer consideração ao fato de elas terem vagina ou pênis.

O "culturalismo" e a "ideologia de gênero" são, para a direita, não algo do campo acadêmico somente. Devem ser denunciados ao mundo como movimentos que arcam com ideias fabricadas pelo "comunismo", pelo "esquerdismo". Por que os "esquerdistas" estariam promovendo tal coisa? Simples: como no âmbito do que professava e denunciava o macartismo, os tais comunistas estariam tentando gerar a deterioração da família e dos valores ocidentais, para então dominarem nossa sociedade de uma vez por todas. Sem a resistência da família, "guardiã dos valores tradicionais e cristãos", todos nós ficaríamos fragilizados diante da mudança de valores e costumes, que teriam sido "impostos pelo comunismo". Um belo dia, de tanto mudar nossa linguagem, acordaríamos numa manhã já sem sol, todos adeptos de práticas homossexuais e correlatos, e já estaríamos então moralmente fracos, presas fáceis do jugo de chefes comunistas. Teríamos perdido a família e ganhado, em troca, com auxílio do demônio, a tirania. No regime comunista, então, tudo nos seria proibido, inclusive o sexo hétero!

Fico sempre pensando nessa imagem que a direita faz do comunismo: um monte de operários, chefiados por Lênin, gritando contrariamente *à la* Tim Maia: "Homem com homem e mulher com mulher, uni-vos."

É claro que os estudos de gênero nada dizem de espalhafatoso. O que filósofas como Simone de Beauvoir e Judith Butler ensinaram é que, como usuários da linguagem, somos nomeados em nossa sexualidade e gênero a partir de um vocabulário exclusivamente dual (hétero normativo), e que esse vocabulário traz, no âmbito de "homem" e "mulher", "macho" e "fêmea", "masculino" e "feminino", certas expectativas que nem sempre podem se realizar. Certos comportamentos esperados socialmente por conta de uma reificação da linguagem não irão se verificar. Todos nós podemos pensar um pouco e entender isso! Um homem pode muito bem não se adaptar a todos os desígnios que o termo "masculino" ou "macho" ou "homem", dependendo da situação semântica, histórica e geograficamente datada, é posto para ele. Seria então, essa pessoa, obrigada a ganhar a pecha de anormal, no âmbito de sua sociedade? Claro que nossa resposta atual é um sonoro não. A direita não consegue aceitar tal resposta. Não quer pensar!

Hoje em dia temos antropologias, dentro de filosofias, como as do filósofo Peter Sloterdijk, que destituem a dualidade entre cultura e biologia, para adotar uma visão de "antropotécnicas".[7] Somos criados por "antropotécnicas", técnicas de geração do humano, que nós mesmos geramos. O homem faz o homem. O homem é um acrobata: sempre fazendo o mesmo, e então, um dia, tenta algo diferente para que a prática melhore. Assim nos geramos humanos, vindos da condição relativamente simiesca. Uma antropologia assim, ainda que um tanto fantástica, é bem amiga de estudos linguísticos que fazem do gênero e do sexo elementos criados pela linguagem, como quer, acertadamente, Judith Butler.[8]

Ora, sabemos bem, de nossa experiência de vida, que a nomenclatura dual (heteronormativa) não poderia ser o crivo de observação de nosso entendimento

---

7 Ver: Ghiraldelli Jr., P. *Para ler Sloterdijk*. Rio de Janeiro: Via Vérita, 2018. E também: Ghiraldelli Jr., P. *Dez lições sobre Sloterdijk*. Petrópolis: Vozes, 2018.

8 [1990] Butler, J. *Problemas de gênero*. 13ª ed. Rio de Janeiro: Civilização Brasileira, 2017.

de mundo, pois há dezenas de comportamentos que não se ajustam ao que se espera das crianças ou dos adultos quando os denominamos segundo tais nomes. Os estudos de gênero, portanto, são realmente estudos: o que se quer investigar é a razão dessas defasagens e, junto disso, a forma de agir diante dessa situação de modo a não criar preconceitos e atitudes de exclusão. Ora, a direita nem dá ouvidos a isso.

Os conservadores não querem ouvir falar em estudos de gênero. Para pessoas da direita bolsonarista, não há "estudos de gênero", mas doutrinação, lavagem cerebral, no sentido de criar uma "geração inteira de gays e lésbicas". Tais pessoas, a população LGBTQ+, são tomadas pela direita como anormais não só pelo modo de agir em situações comuns, mas também por serem vistas como "pervertidas" que "só pensam em sexo". Em geral, segundo a direita, são todos pedófilos, pois sempre que querem sexo, o querem com jovens – um estranho conceito de pedofilia! Pode-se não acreditar, mas vários adeptos da direita argumentam que o comunismo levaria, com tal atitude, ao fim dos humanos. Não nasceriam mais crianças!

Quando pressionados pelo mercado liberal, que vem aceitando a diversidade social, inclusive por razões econômicas (ou talvez só por elas), essa direita de cabeça mais endurecida acaba cedendo e, então, assim se defende: "Não temos preconceito, contanto que nossos filhos não vejam homens beijando homens na rua." Também Putin disse isso na atual Rússia – e fez disso uma lei! Nessa hora, a direita brasileira aceita bem essa junção dos tempos, entre a homofobia de Trump e a de Putin. Bolsonaro parece surfar nessa onda por necessidades não reveladas. Alguns chamam essa junção de "populismo de direita". Mas creio que a obsessão pelo sexo, vinda do vocabulário deles, em especial de Bolsonaro, revela que há coisas mais profundas e traumáticas na sua vida. Muitos colegas do passado afirmam que são experiências da caserna.

8. MBL ou o liberalismo carcomido

Olavo de Carvalho é o mentor da direita hormonal e, em certo sentido, também do MBL (Movimento Brasil Livre) e outros assemelhados. As brigas entre eles não revelam que pensem diferente. Todavia, nem só dessa caixa de terraplanismo e anticomunismo imaginário vivem aqueles predispostos a adotar o bolsonarismo. Odeiam a cultura e os livros, mas precisam de toda maneira apresentarem-se como sabichões. São os doutores de uma frase única: "Mais Mises, menos Marx". Não conhecem nenhum dos dois, mas gostam do slogan.

Mises? Quase! Na verdade, o que conhecem do pensador marginalista Ludwig von Mises são alguns textos de um tal de Instituto Mises, uma entidade virtual que mantém artigos na internet sobre todo e qualquer assunto. Os textos são bem mal escritos e nenhum deles acerta nos conceitos que tenta explicar.

Só para dar um exemplo típico. Ao tentarem explicar a "teoria do valor trabalho", erram ao falar que Marx entendia que o trabalhador vendia seu tempo de trabalho ao capitalista. Na verdade, Marx distinguiu trabalho e força de trabalho. Só com essa distinção

Marx poderia ter inovado em relação aos clássicos da Economia Política. A força de trabalho é a capacidade de trabalho que o patrão compra e a utiliza mais tempo do que o necessário para que ela produza um tanto que possa equivaler à sua reposição. É desse mais-trabalho que há o que Marx chamou de mais-valia. E a mais-valia é o incremento ao capital, o que este necessita para se reproduzir. A essência do capitalismo é não a produção de objetos, mas a reprodução e ampliação do capital. Muitos textos do Instituto Mises não fazem tal distinção e, então, explicam errado a teoria da mais-valia. Daí logo concluem que a teoria de Marx incorre em erro.

O grupo do MBL engole tais erros. Afinal, Kim Kataguiri, a estrela do grupo, chegou a fazer vídeos sobre Marx dizendo que o filósofo, ele próprio, viu sua teoria ir para o espaço ao se defrontar com o fenômeno da Primeira Guerra Mundial. Ninguém sabe o que a Primeira Guerra Mundial tem a ver com um erro de Marx, mas todo mundo sabe que Marx morreu em 1883 e a guerra se deu no início do século XX! Os outros membros do MBL não são melhores do que Kim em conhecimentos humanísticos, mas adoram se exibir. Há neles uma incrível arrogância própria da ignorância juvenil.

É do Instituto Mises que vem o liberalismo torto, aquele que adota a ideia estranha de que um regime de cotas étnicas em escolas é “racismo”. O liberalismo diz que todos são iguais perante a lei. Então, se há regras em escola que visam acolher os negros, como as cotas, essas escolas seriam “racistas” – estariam privilegiando os negros em detrimento dos brancos! Nesse caso, o que tal liberalismo faz é simplesmente desconsiderar nosso passado escravista e o preconceito por conta de tal passado. Mas no MBL essa desconsideração se tornou algo bem mais perverso. Gerou um militante negro, Fernando Holiday, que se opõe às cotas e, enfim, vocifera contra todo tipo de política que vise emancipar o negro. Aqui, é necessário gastar alguns parágrafos para deixar claro a origem do preconceito que funciona como uma grande barreira para o negro no Brasil.

Quando se deu a Abolição da Escravatura, os negros caíram em festas e bebedeiras. Muitos foram levados para o centro do Rio de Janeiro, onde permaneceram completamente nus, bêbados, com as famílias destroçadas, urinando e defecando nas ruas da capital. Era o último ano do Império. Quando veio a República, eles já estavam morando em casebres, em lugares em que contraíam tudo que era tipo de doença. Tentaram se empregar. Mas, com roupas sujas, exalando o cheiro de aguardente barata – única forma de suportar a vida e elemento que os viciou durante a escravidão – e descalços, eles não conseguiam ser ouvidos por nenhuma dona de casa. Ninguém os queria como mão de obra. Os tais "imigrantes" estavam para chegar! Todos diziam isso e rechaçavam os negros.

Os imigrantes chegaram. Eram pobres. Mas estavam de terno e gravata. Não tinham o "cheiro de preto". Parecia que poderiam viver fora das senzalas, quase como humanos. Aos negros nunca foi dada a condição de possíveis humanos. Então, o capitalismo brasileiro se integrou na narrativa do capitalismo internacional: trabalho assalariado para todos. Menos para os negros. Eles foram decretados não os sem-trabalho, mas os vagabundos. Nasceu daí o preconceito. Ser negro passou a ser alguém que só poderia trabalhar a ferros; uma vez livre, entraria para a vida da bebida e da bandidagem. Diziam: "é de índole". As negras, então, deixariam de lado a função de amas de leite para enveredar na prostituição barata, uma vez que a prostituição menos degradante era aquela não da sífilis, mas da simples gonorreia, transmitida pelas polacas.

Minha bisavó, aos 107 anos, gostava de me contar histórias da escravidão. Mas aquelas que ela contava do negro livre eram sempre as que mais revoltavam. Pois o negro livre parou de apanhar no pelourinho da praça para ser massacrado nas prisões das delegacias de todo o país. Ela lembrava sempre da peregrinação do Negro José, um homem forte que por seis meses andou pela cidade de Nova Europa, no interior de São Paulo, tentando arrumar um terreno para carpir, sem sucesso. Foi então que ele, já à míngua, deitou-se na praça e escutou do guarda da esquina: "Está preso por vagabundagem." Espancado na cadeia, José morreu de hemorragia interna. Durante a escravidão, durante mais de trinta anos, José havia sido o carregador de fezes da casa paroquial. Trazia para as fossas o cocô dos padres que, depois da escravidão, passaram a ir eles mesmos às fossas – "que degradante", diziam, xingando a imperatriz. Eles mesmos tinham de defecar, sem a ajuda dos pretos. Era horrível, diziam.

O negro foi tornado trabalhador livre, mas impedido de trabalhar, para em seguida receber o nome que, hoje, alguns policiais usam: "vagabundo". Eis aí a origem do preconceito.

Os que negam as cotas e insistem em não criar uma política de integração étnica, para afastar o preconceito, são os agentes do cinismo. Procuram fingir que não sabem dessa história toda, de como o preconceito foi gerado, e insistem que no Brasil as cotas seriam um privilégio, uma odiosa marca no liberalismo, que garantiria a igualdade perante a lei. Como alguém acha que negro é realmente igual perante a lei no Brasil?

Os liberais brasileiros deveriam pôr a mão na consciência e, também, nos melhores livros, ao virem com a conversa fiada da igualdade perante a lei. O preconceito só vai diminuir se o branco puder ver o negro, mais rapidamente do que temos conseguido fazer até agora, em cargos executivos, costumeiramente. As políticas de ações afirmativas são para isso, elas não são prêmios individuais ou políticas para dar diploma ou melhorar a renda do negro. Elas são políticas para abaixar a bola do preconceito. Os liberais não querem entender isso por uma razão simples: Locke era um liberal escravocrata. Nosso neoliberalismo atual é escravocrata. Nosso liberalismo desconhece John Rawls ou John Dewey.[9]

9 Filósofos americanos que, se mantendo liberais, trouxeram a doutrina para um campo social, quase que a fazendo se assemelhar às preocupações da social-democracia europeia.

9. A religião do bolsonarismo

A religião da direita bolsonarista, ou criptobolsonarista, é a cristã. Mas o Jesus que essa direita louva não é aquele encontrado no Novo Testamento. Parece-se mais com o Deus do Velho Testamento ou, talvez, mesmo, com o demônio.

O lema desse Jesus nada tem a ver com o amor, mas endossa as atitudes de juiz do Deus do Velho Testamento. Todavia, seus julgamentos não possuem sabedoria e, por isso mesmo, trata-se de um engodo de divindade. O Jesus dessa direita é um deus que condena tudo aquilo que o Jesus dos textos bíblicos abraçou: prostitutas e ladrões. A parábola do Bom Samaritano, então, nem pensar que é assunto entre esses cristãos – em grande parte evangélicos. Se uma tal parábola ensinou o acolhimento do estrangeiro, do diferente, o Jesus dessa direita ama só o que lhe é familiar e igual. É um Jesus tão homofóbico quanto os pastores que dele se utilizam. É um Jesus que adora a ostentação, e não os pobres. É um Jesus que diria que nada sabe de camelos e agulhas e que lugar de rico é mesmo no céu. Trata-se de um estranho Jesus, que quer que todos andem armados!

O lema da religião dessa direita é não o de amor a Deus, mas o de temor a Deus. Tudo é feito na base do temor e do dinheiro. Bolsonaro incentiva como ninguém uma tal postura dessa direita. Ele próprio vai às "Marchas para Jesus", e ali não deixa de proferir palavras de ódio, gratuitamente. No centro da cidade de São Paulo, em um evento dessa natureza, ele pediu que os ali presentes, "em nome de Jesus", pressionassem o Congresso para aprovar as suas leis de facilitação da aquisição de armas por indivíduos. Jesus ficaria, no mínimo, ruborizado ao escutar aquilo dito em seu nome.

Bolsonaro passa pelos evangélicos, católicos mais reacionários e flerta com judeus. O que considera não religião, claro, são os cultos afro. Nesse caso, o tópico religioso é porta aberta para seu desvairado e explícito racismo. A direita o segue, a direita o nutre, a direita vê nele o seu próprio potencial destruidor que, enfim, ela tem desde o tempo do Brasil Colônia. Essa direita é a que arrebanha as classes médias que, no fundo, não se importam nem um pouco com o Brasil. Caso a América do Sul dê mais problemas do que já dá, seguem todos para a Europa ou os Estados Unidos – assim pensam.

Alguns dessa direita imaginam, então, que se o planeta der problema (ecológico) terão dinheiro para ir embora para outro planeta, dado que agora a própria atividade de viagens espaciais está se privatizando.

Bolsonaro e a direita a ele adepta não conhecem os limites do Estado laico. Não entendem que o Estado laico é neutro exatamente para garantir a existência de todas as religiões. Não tendo essa compreensão, Bolsonaro lambuza todas as instituições republicanas com religião, especialmente com o que desejam os evangélicos. Assim, Bolsonaro chegou a dizer que já estava na hora de o Supremo Tribunal Federal (STF) ter um ministro evangélico. Avisado de que o critério para o STF não podia ser, nunca, o religioso, passou por cima de tal admoestação e continuou esse seu desiderato, como se nada tivesse acontecido. Bolsonaro e a direita que o acompanha adotam essa prática, a de bater na mesma tecla sem se intimidar por estarem defendendo algo imoral ou ilegal ou incapaz de satisfazer os ditames tradicionais das leis republicanas.

Essa direita funciona numa bolha adrede preparada. É o Whatsapp, claro. Nesse meio, mentem para fazer propaganda e, logo em seguida, quando a mentira retorna, acreditam nele e assim se retroalimentam nas suas crenças. É algo curioso.

As igrejas caça-níqueis, uma grande parte do movimento evangélico brasileiro, se criou com base no desejo das pessoas, uma vez isoladas, atomizadas por uma sociedade neoliberal, de encontrar uma comunidade. Aliás, isso também explica as bolhas virtuais. Essas igrejas são instituições poderosas. Os pastores que as dirigem têm força inaudita de convencimento sobre os fiéis e, não raro, representam as grandes fortunas do país. São 42 milhões de evangélicos no Brasil. A votação de Bolsonaro foi de 57 milhões. A direita ligada a tais movimentos pode, quando quiser, eleger o presidente da República. A onda conservadora de costumes no Brasil tem a ver com o crescimento dessas igrejas. Bolsonaro é, em grande parte, a expressão política de tais igrejas, e colabora para a disseminação do pensamento mágico e infantil que tais pastores disseminam entre seus fiéis. O atraso cultural desse movimento é um líquido com o qual Bolsonaro adora banhar-se.

Peter Sloterdijk nos dá uma dica para entender esse fenômeno, que não é exclusivamente brasileiro. Comentando a aproximação dos europeus aos padrões religiosos americanos, ele diz que nos Estados Unidos nunca existiu um Estado de Bem-Estar Social como os da Europa, em especial o alemão, e então os americanos logo se viram na busca de um seguro privado. Ora, há seguros privados em bancos e companhias de seguro, e há o maior seguro de todos, no campo privado, que é o apego a Deus. Os europeus estariam imitando os americanos ao se exacerbarem na crença em religiões fundamentalistas, uma vez que o Estado de Bem-Estar Social entrou em crise na Europa (desde de, no mínimo, a era simbolizada por Thatcher) e perdeu parte de sua força. Ele diz que William James foi quem melhor captou isso, *avant la lettre*. Ele teria sido aquele que entendeu o "dogma escandaloso da infalibilidade papal", trazido para o indivíduo protestante de tipo americano: "Não só o papa, mas cada ser humano da modernidade, é condenado a um tipo de infalibilidade." De fato, sabemos bem, como Harold Bloom escreveu certa vez, que cada americano acredita ter Deus dentro dele ou com ele, olhando para ele por ele ser americano.

Se pensamos a realidade brasileira a partir dessas sugestões teóricas, temos de lembrar que o movimento evangélico no Brasil cresceu principalmente a partir dos anos 1990, exatamente no momento do início de nossa abertura à globalização de linha neoliberal e o nosso crescente envolvimento com a financeirização do capital. Nem bem a Constituição de 1988 se fez valer, e ela passou a ser criticada pelos setores economicamente mais poderosos. De Collor a Bolsonaro, a financeirização só cresceu e nosso Estado de Bem-Estar Social nem bem havia se completado e passou a receber todo tipo de crítica, que culminou com a reforma trabalhista de Temer e o desesperado ataque de Bolsonaro e de seu ministro da Economia, Paulo Guedes, ao sistema de seguridade social. Em um quadro assim, de individualismo e de fim da proteção da seguridade secular, nada como apelar para o seguro próprio, a infalibilidade papal trazida para o indivíduo isolado, atomizado, por meio de uma relação com Deus. Melhor ainda se for um deus mágico, que faz e acontece a partir de ordens de um pastor qualquer.

10. Educação para a bolha e para o lucro

Em termos gerais, tanto a direita quanto a esquerda dizem apostar na educação. As considerações sobre a importância da educação, ao menos em termos retóricos, são sempre louvadas. A escola é reconhecida em sua importância. Mas a direita bolsonarista, de modo peculiar, estanca seu discurso até antes disso.

Ela vê a escola como um elemento nocivo de modernização acentuada e, não raro, como um lugar de inculcação ideológica. A "ideologia de gênero", as teses de "viés ideológico" (ou seja, aula com algum conteúdo liberal ou de esquerda) e até mesmo certas noções científicas básicas são tomadas por uma tal direita como um campo minado, capaz de levar as crianças a sérias perturbações psíquicas e morais. Por isso mesmo, o bolsonarismo encampa o movimento mundial que defende o *homeschooling*, que também nos Estados Unidos tem certo apoio conservador. A busca por encontrar uma bolha para as crianças é visível, mesmo contra todo tipo de aconselhamento pedagógico.

Nesse sentido, a direita brasileira criou o movimento Escola sem Partido. "Sem Partido", no caso, significa:

sem que os professores possam ensinar o que ensinam comumente em história e geografia, em sociologia e filosofia. Tudo é visto como sendo "doutrinação marxista", a favor do PT. O Partido dos Trabalhadores jamais teve orientação marxista, mas essa direita não tem a mínima ideia do que é o marxismo. Usam do termo como um papagaio no poleiro recitando qualquer coisa do cantor Lobão – naquela sua esquisita fase de amante de torturadores de 1964, que ele agora parece querer apagar da biografia!

Incentivando o "Escola sem Partido", o próprio Bolsonaro, já como presidente da República, fez questão de aconselhar a prática de filmagens de professores por parte dos alunos, de modo a que executassem denúncias sobre se tais mestres não estavam ensinando qualquer coisa que tivesse a ver com o educador brasileiro, mundialmente famoso, Paulo Freire. Os ministros da Educação de Bolsonaro fizeram o mesmo. Deputados do Partido Social Liberal (PSL), de Bolsonaro, engrossaram tal coro. Essa prática de perseguição de professores, completamente ilegal no país, já havia sido desenvolvida, antes das eleições de outubro de 2018, por membros do MBL em escolas paulistas.

Tudo isso se faz sentir sobre a escola pública com Bolsonaro no governo. É uma preocupação que oscila na sociedade brasileira: o Escola sem Partido tem ou não peso real entre pais mais conservadores? Como é possível manter a lei contra essa prática macartista se o próprio presidente a incentiva?

Esse vagalhão de perseguição ao ensino de "professores marxistas" ou "foucaultianos", ou coisa parecida, teve um de seus mais assíduos defensores na figura do colunista da *Folha de S.Paulo* Luiz Felipe Pondé, um escritor que se fez discípulo voluntário, ao menos por um período, de Olavo de Carvalho (sendo depois rechaçado por este). No jornal, ele está sempre pronto para executar uma tarefa macartista: apoia cartas de estudantes de direita, que dizem estar sendo massacrados por "conteúdo único" em suas faculdades, ministrados por "professores marxistas". Incentivados por Pondé, essa forma de agir percorre as pautas de várias revistas, quando nas mãos de editores mais conservadores.

A direita bolsonarista procura mostrar a universidade brasileira como um "antro de balbúrdia, ideologia marxista e abrigo de maconheiros". É um retrato que ela faz, às vezes sabendo de sua mentira, às vezes realmente acreditando na lenda urbana que fabricou. Conservadores, em geral, exageram na imagem de politização da universidade. Afinal, tomam a universidade pela sua fachada mais à esquerda, que odeiam, fixada em seus cursos de Humanidades. No governo, esse ódio ao ensino universitário se espraia para todo e qualquer campo, fazendo os governos de direita bastante muquiranas diante de qualquer pesquisa. Bolsonaro nega as verbas de hospitais universitários e de cursos científicos. A reação social, contrária a ele, não o intimida. A universidade é de fato eleita como sua inimiga, sendo ou não!

Bolsonaro opta pela universidade particular. Mas, nesse caso, em moldes especiais, ou seja, posta nas mãos de conglomerados financeiros internacionais, já operantes no Brasil.

Há de contar aí, para se compreender o fenômeno, com a noção de biopolítica, como desenvolvida pelo filósofo francês Michel Foucault, mas apropriada por Antonio Negri e Michael Hardt. Esses autores entendem que o trabalho não está mais na fábrica, mas, com a financeirização do capitalismo e com a internet, ele veio para o campo da empresa, espraiando-se por toda a sociedade. Baseados no também francês Gilles Deleuze, enfatizam que o trabalho fabril, fordista, era o trabalho operário segundo a ótica da disciplina, enquanto o trabalho pós-fordista, da empresa e das terceirizações, de caráter neoliberal, se caracteriza pelo controle. Nesse caso, não é a força de trabalho que é trazida para o campo laborativo, mas todos nós enquanto humanos vivos entramos de cabeça no trabalho, o que ocorre 24 horas por dia, mesmo quando acreditamos que estamos nos divertindo. Negri e outros não se cansam de mostrar que, se participamos de um jogo eletrônico, no celular, estamos não como consumidores somente, mas também como quem produz o jogo, fornecendo dados, caminhos e feedbacks para os softwares que logo reaparecerão modificados e aperfeiçoados (nesse caso, há de volta, modificado e legalizado, o trabalho infantil). Essa atividade, em termos da sociedade como um todo, é contínua no tempo. Ninguém fecha seu escritório, dado que ele é a própria vida: tornamo-nos tartarugas que levam não a casa nas costas, mas os escritórios, consultórios médicos e psicológicos e outros, ateliês, salas de aula e até restaurantes etc. Os cuidados com a vida, então, centrados no corpo e nas patologias psíquicas, alcançam o status de empresas rentáveis – todo mundo está com o corpo livre e, ao mesmo tempo, controlado pelo trabalho contínuo. O capitalismo logo entende que, nesse caso, é bom privatizar esses setores – educação, segurança, transporte e, fundamentalmente, a escola. Tudo isso é rentável e faz parte da vida que, enfim, está toda ela envolta na produção e no consumo. O capitalismo total é o reino da bios que se envolve com a pólis, a biopolítica.

Todo aparato de educação, nesse caso, como a direita o vê, pode seguir seu curso se privatizado, se dominado, se tornado algo rentável para os acionistas empresariais. Os investidores, ainda denominados empresários, querem então criar enormes conglomerados que envolvem várias universidades. Segue-se em países como o Brasil, nesse caso, a compra voraz de faculdades por parte de conglomerados monopolizadores. O ensino permitido é este, que se torna apostilado, simplório, maquinal e distante dos livros clássicos. Nessa hora, a universidade privada e online é tudo que o governo quer.

11. Cultura? Não! Apenas incultura

Tendo sido informado da morte de João Gilberto, Bolsonaro comentou: "Era uma pessoa conhecida, né? Meus sentimentos para a família." Não houve luto oficial para o célebre criador da Bossa Nova. Bolsonaro realmente não sabia de quem se tratava. Uma boa parte dos bolsonaristas não é diferente de seu líder quanto à cultura. Não à toa, Bolsonaro extinguiu o Ministério da Cultura.

De modo geral, a direita que se aglutina em torno de Bolsonaro é exatamente aquela que no ano de 2018 teve na cultura seu incômodo e seu alvo. A Lei Rouanet foi acusada não só de injusta, mas de um mero mecanismo de promoção de artistas de esquerda. É claro que uma avaliação assim é imensa bobagem. Mas, de certa forma, isso mobilizou aquelas pessoas conservadoras que se indispõem diante de qualquer cena de sexo ou mesmo de nu artístico. A velha ideia do artista como membro da boemia, da "vida gay" e da prostituição é cultivada por esses conservadores. Nesse caso, o ódio à população LGBTQ+, tomada como sendo da ordem da prostituição, se avoluma à medida que os gays são sempre vistos, pelos setores conservadores, como praticantes da pedofilia.

Por conta dessa cruzada antipedofilia, teatros e museus foram atacados entre 2016 e 2018, no bojo das manifestações anti-PT e da articulação da candidatura Bolsonaro à Presidência da República. Nesse campo, a direita ultrapassou seus muros e conquistou amplo setor da classe média. A pedofilia assusta demais a classe média, que não sabe direito do que se trata, e imagina que seus filhos irão ser atacados por homossexuais escondidos sob a máscara do artista e sob o jaleco do professor.

É interessante notar que, em meio a essa carolice da direita, um dos deputados mais bem votados do bolsonarismo seja o ator pornô Alexandre Frota, expert em cenas de sexo com travestis. Aliás, ele mesmo diz que foi namorado de um deputado evangélico, de estilo neofascista, o conhecido pastor Marco Feliciano. E este jamais nega. Nada disso faz a direita dirigir-lhe qualquer reprimenda. Como explicar tal fenômeno?

Certamente não é difícil notar que a cultura da pornografia, que a direita não deixa de curtir às escondidas, é algo que só se sustenta por conta da existência de pessoas como Frota. O moralismo da direita se fortalece na consciência dos "homens de bem", os "pais de família", após eles terem visto um vídeo de Frota em uma orgia com travestis. Aliás, este é um sonho dos "homens de bem" que, enfim, não raro é tornado real mais que uma vez na semana! Uma vez que Frota não possui os ditos "trejeitos" do que a direita espera que seja o "veado", ele se transforma em um elemento de fortalecimento da visão conservadora sobre a sexualidade. Se penetrado, seria, ao menos, por quem se parece com mulheres, mas, em geral, ele penetra todos. Frota "come todo mundo". A direita entende que é assim que deve ser um homem, um filho "macho". Frota chegou a ser seriamente cotado – apesar de sua deficiência intelectual explícita – como alguém que desempenharia um cargo importante no campo da cultura do governo Bolsonaro! Ora, diante dos ministros de fato escolhidos, Frota não destoaria!

A palavra "cultura" na direita tem uma recepção bem específica, se tomada positivamente. Festas em que não se respeita a vida animal, aí sim, é cultura. Cantores populares que gravam mensagens de ódio também podem ser louvados. O mundo do sertanejo é amado pelos bolsonaristas. Mas, paradoxalmente, há uma classe média, na direita, que sai desse campo em direção a Nelson Rodrigues. É que as patologias sexuais expostas na obra de Nelson satisfazem a mentalidade adolescente, um tanto parecida com a do aluno de seminário, que ganha certos nichos do conservadorismo. Aliás, diga-se de passagem, Nelson foi, ele próprio, uma pessoa de direita.

Do sertanejo brega de Bolsonaro ao Nelson Rodrigues transformado em material inculto de Bolsonaro, é isso que a direita curte como cultura - não mais. Ou há mais? Ah, sim, as palestras de culto ao "eu interior" de Leandro Karnal são bem-vindas, também, para parte do público conservador. Esse público esperou ao máximo para ver se Karnal escorregava mais para a direita, para poder ouvi-lo e elogiá-lo. Agora, parte do público de direita que o assiste e se locupleta com a fala sobre o nada, não se sente mais culpado. "Ele é dos nossos", já dizem os bolsonaristas que se desejam menos rudes.

12. Infância e capitalismo

Os conservadores são contrários ao direito da mulher de provocar o aborto. Claro que muitos ricos que assim se manifestam fazem aborto em clínicas aqui mesmo no Brasil ou se deslocam para o exterior. À primeira vista, podemos até acreditar que a posição pública contrária ao direito do aborto, vinda dos conservadores, inclusive e principalmente de mulheres, tem a ver com um desejo de proteção do mais fraco. Proteger o feto é, de certo modo, a proteção do mais fraco, do vulnerável. Todavia, nossa percepção muda quando notamos que muitas dessas pessoas são contrárias ao aborto mesmo quando a concepção se deu por estupro ou quando o feto é anencéfalo ou quando há risco de morte da mãe. A verdade vem à tona: a direita parece, antes de tudo, mais querer punir a mulher que qualquer outra coisa. Se ela engravidou é porque fez sexo, e deve ter tido prazer. Tem de pagar por isso! A direita odeia uma sociedade prazerosa, suave. Mussolini nunca deixava de lembrar que o fascismo era a sociedade da vida dura.

A direita bolsonarista deixa bem claro isso. Diz que quer proteger o feto, mas não dá a mínima para a pobreza infantil, para o menor abandonado. Aliás, quer punir com prisão o "menor infrator" (evita falar o termo criança ou jovem). Quer colocá-lo na prisão comum, para que as organizações criminosas possam recrutá-lo com mais facilidade. Pode-se explicar isso mil vezes para as pessoas que assim desejam, mas a direita não cede à razão.

A máscara da direita cai de uma vez quando seu núcleo mais rancoroso advoga que o trabalho infantil não degrada, mas educa e disciplina. Nessa hora, a concepção de infância que adota está longe da moderna, que deve sua melhor formulação ao romantismo e ao filósofo genebrino Jean-Jacques Rousseau. A infância precisa ser preservada, entendida como uma fase em que, se alongada, não teremos perdas, e sim ganhos para que se possa forjar um adulto melhor. No mundo ocidental a ideia de trabalho infantil tem sido abolida?

Aqui, é necessária uma breve digressão sobre a transformação do capitalismo.

Na maior parte do século XX vigorou o capitalismo industrial. A fábrica era o centro do trabalho e os procedimentos do fordismo comandaram sua organização interna. A ideia era a da linha de produção (Taylor à frente). *Tempos modernos*, de Chaplin, tornou-se um ícone desse tempo. Nasceu aí a "sociedade disciplinar". O operário disciplinado pela linha de produção daria ao mundo a possibilidade de melhoria de vida. Deu--se com isso a produção em massa e o barateamento das mercadorias, e então seguiu-se o consumo de massa e, enfim, até mesmo o consumo estratificado, o que gerou a ideia do consumo de distinção de classe. Uma sociedade da inveja se fez vigente. Mas, de 1929 até 1970, com o operariado do mundo todo em luta (a concentração fabril ajudou), construiu-se o Estado de Bem-Estar Social, e, de fato, a melhoria de vida dos trabalhadores foi substancial. Principalmente nos Estados Unidos, isso gerou uma enorme classe média. Mas esse tempo foi superado.

A partir dos anos 1970 as coisas começaram a mudar. O Estado de Bem-Estar Social entrou em crise, entre outras coisas por conta do crescimento de suas despesas. Veio então a doutrina do neoliberalismo, propondo a diminuição do Estado, um endurecimento dos governos diante do movimento dos trabalhadores, e para que tal coisa fosse possível inaugurou-se uma era pós-fordista, de secundarização do trabalho fabril.

O capitalismo vigente hoje é o capitalismo financeiro. A empresa substituiu a fábrica. O trabalhador saiu da "sociedade disciplinar" para a "sociedade de controle", para usarmos aqui uma terminologia de Deleuze. A produção se tornou específica, individualizada, porque toda a sociedade se individualizou e se atomizou a partir da ideia do trabalho empresarial, que lançou mão da terceirização, da ideia de que todos podem ser empresários ou, melhor dizendo, aplicadores que irão viver de rendas. O trabalho migrou da fábrica para a sociedade. O operariado fabril diminuiu em número, substituído pelas máquinas e pela robótica, mas aumentou o número de trabalhadores no contexto social geral. Todos viraram consumidores e produtores ao mesmo tempo. Cada um com seu celular pode trazer, como um novo tipo de tartaruga, não a casa nas costas, mas o escritório, a clínica, a loja etc. Disseminou-se a indistinção entre trabalho e lazer. Todos os usuários da internet estão, de certo modo, criando conteúdos e fornecendo dados que os fazem consumidores mais atuantes e especiais, inclusive de seus próprios conteúdos. O consumo deixa de ser distintivo de classe e adquire uma feição mais individualista, intimista mesmo. Há a ideia do "curtir". Compra-se pelo prazer de se ter algo individualizado, feito para o prazer solitário. O fetiche das marcas supera o fetiche das mercadorias. O fetiche do dinheiro se amplia.

O YouTube é bom exemplo dessa situação toda. Nessa hora, quem vai impedir as crianças de trabalharem? Elas trabalham até mais que os adultos, uma vez que estão ligadas na internet bem mais tempo que qualquer um. Produzem e consomem conteúdo de jogos do mesmo modo que os casais de namorados produzem e consomem vídeos pornôs.

Desse modo, não podemos dizer que o capitalismo aboliu o trabalho infantil. Ele, nessa sua fase de hegemonia do capital financeiro, incorporou toda uma sociedade ao mundo do trabalho, ou, melhor dizendo, ao mundo das tarefas. O que se tenta abolir, quanto às crianças, então, é o trabalho de tipo fabril, ou doméstico, que ainda perdura em vários lugares do mundo. Os capitalistas modernos querem que as crianças saiam das fábricas e similares e venham para os "joguinhos" – uma indústria milionária que não paga direitos autorais para seus usuários e muito menos horas de trabalho. Jogando, as crianças são os verdadeiros criadores dos jogos. O capitalismo atua aqui pela modernização e suavização da vida, como fez quando, por meio da esquadra britânica, afundou os navios negreiros, para impedir que o Brasil continuasse a viver no passado, sustentando não o trabalho livre, mas, sim, o trabalho escravo.

Mas a direita ligada a Bolsonaro enfrenta a esquadra britânica, hoje representada pelos Direitos Humanos, pelo Unicef, pelos olhares internacionais que buscam o fim do trabalho infantil. O próprio Bolsonaro se pronuncia pela ideia de que o trabalho infantil faz bem para a criança, e não mal. Ele diz que não foi prejudicado por ter trabalhado na infância. Tão logo disse isso, a imprensa o desmentiu, mostrando uma entrevista de um irmão seu, que falou que eles jamais trabalharam quando crianças.

13. PSL, Bolsonaro e o corpo

Creio que Bolsonaro tornou-se o primeiro presidente – espero que seja o último – que declarou de público, em entrevista disponível na internet, que ele sonegava impostos. Essa ideia de que até um candidato à Presidência pode se dizer fora da lei e, pertencendo a certos grupos com poder, ficar impune, tem a ver com a tal característica do brasileiro: o "jeitinho". O Brasil é o lugar onde tudo pode ser acomodado, "negociado". Verdade? Talvez existam outros países assim, mas nossa fama, para nós mesmos, é a de que somos experts nessa artimanha só nossa, a de exercer o "jeitinho". Ah! O "jeitinho brasileiro".

Em um trecho brilhante de seu livro *Brasil: uma biografia não autorizada*, o sociólogo brasileiro Francisco de Oliveira dá uma interpretação a respeito da origem dessa característica nacional, exemplificando-a com referência a comportamentos corporais. Vale a pena ler o corajoso trecho, no destaque:

> *Qualquer reunião brasileira está cheia de batidinhas nas costas na hora do cumprimento, impondo*

> *de saída uma intimidade que é intimatória e intimidatória. Um dos cumprimentos mais característicos de Luiz Inácio Lula da Silva, por exemplo, é bater com o dorso da mão na barriga dos interlocutores. Mesmo em encontros formais, o primeiro gesto de Lula ao se aproximar de qualquer pessoa é tocar-lhe a barriga [...]. A matriz desses gestos encontra-se evidentemente no longo período escravagista. Nele, o corpo dos negros era propriedade, podia ser tocado e usado. O surpreendente é esses gestos e esses costumes terem persistido ao longo de cem anos de vigência de um capitalismo pleno.*[10]

Esses gestos de apropriação do corpo do outro sempre surgem a partir dos que detêm cargo de mando em relação a subalternos ou pessoas vistas como subalternas. Bolsonaro se tornou um exemplo dessa prática, quebrando todo tipo de liturgia institucional, em inúmeros sentidos. Ele tenta agarrar pessoas, abraçar e apertar. Um dos episódios mais pitorescos em que ele se envolveu foi no final da Copa América, tentando segurar o técnico da seleção brasileira de futebol pela nuca, num gesto antes de apropriação que de acolhimento, prontamente rechaçado por Tite.

---

10 Oliveira, Francisco de. *Brasil: uma biografia não autorizada.* São Paulo: Boitempo, 2018, p. 144-45.

Também Joice Hasselmann tem essa prática. Há fotos dela no Congresso sufocando entre os fartos seios o pequeno deputado Delegado Waldir. Ela simplesmente não consegue abordar pessoas que imagina serem amigos senão de modo oferecido, tocando-as sem qualquer reserva. Muitos do PSL aderiram a gestos pouco condizentes com a política. A ideia é a de que a formalidade é algo nocivo. Assim, eles praticamente traduzem na falta de compostura e pudor aquilo que os anima nas diretrizes econômicas: a ideia de liberalização, flexibilização e informalização. Todas ideias que mesclam objetivos econômicos neoliberais com posturas comportamentais pessoais e corporais. Bolsonaro anda de terno e chinelos, publicamente, quase que imitando a sua "carteira de trabalho verde-amarela", que é um aríete contra a proteção do trabalho assegurada pelo sóbrio azul da carteira de trabalho tradicional.

Em alguns casos, essa direita bolsonarista chega ao exagero das roupas espalhafatosas. Luciano Hang, empresário apoiador de Bolsonaro, dono da Havan, não raro aparece em vídeos vestindo um terno verde, símbolo do que seria seu patriotismo de sonegador de impostos. Os próprios filhos de Bolsonaro desfilaram em Israel com camisetas do serviço secreto daquele país. Nessa ordem em favor da desordem, ocorreu também o fato inusitado quando da posse do pai: Carlos Bolsonaro, o Zero 2, desfilou na posse na rabeira do carro oficial. Ele pegou o carro na corrida, quebrando o protocolo e transformando a posse não em cerimônia, mas no avesso disso.

O PSL festeja esse tipo de atitude. Todos ficaram extasiados quando viram Bolsonaro receber o embaixador americano em trajes de carioca-vai-à-praia, servindo café em mesa no exterior da residência. Engana-se quem pensa que Bolsonaro quer ser "popular". Ele é aquilo que é, que se mostra ser. Ele é tosco. É um eterno sem-camisa-em-churrasco. Dá o tom para o PSL que não tem nenhuma dificuldade em aderir à moda. É mais ou menos tudo isso que Bolsonaro se mostra ser.

Essa atitude pouco afeita ao que seria a praxe de um presidente termina por contaminar até mesmo aqueles que foram treinados em alguma disciplina. Quase todos os militares que vieram para o governo também adquiriram, ou ao menos demonstram, uma certa postura estranha, em tentativa meio que desengonçada de parecerem joviais. Os cortes de ternos que usam são deploráveis. Os sapatos perdem para o tênis preto! A deselegância das camisas é gritante. Nenhum deles consegue acertar o nó da gravata. Todos do PSL demonstram uma enorme dificuldade no uso dos termos no Parlamento. Tudo que é correto lhes incomoda.

14. A direita bolsonarista é selvagem com o meio ambiente

O que comemos não diz respeito somente à saúde individual ou à satisfação de hábitos alimentares e apetites específicos. O que comemos diz respeito à economia, em vários sentidos, inclusive o de aumento de despesas com a saúde pública.

Individualmente, muitas pessoas conservadoras mostram ter informações sobre esse assunto, e realmente acham tudo isso plausível. Preocupam-se com o agrotóxico nos alimentos. O veganismo até conquista muita gente entre os conservadores, inclusive pela questão do respeito aos animais. Todavia, a direita bolsonarista é mais selvagem. Faz questão de trabalhar no sentido da liberação dos agrotóxicos em nosso país, em quantidades que não são condizentes com os padrões internacionais. Do ponto de vista da política de saúde e da economia, eis aí um gasto a mais no SUS.

O agrotóxico no Brasil tende a tornar a terra improdutiva no futuro próximo e, ao mesmo tempo, um enorme aríete contra a possibilidade de o nosso país manter uma medicina gratuita para os mais pobres. Também é mais um fator de endividamento familiar, inclusive da classe média. Uma tal classe que tem ficado mais à mercê dos juros no cartão por conta de problemas de saúde novos.

Os problemas de desmatamento também são percebidos pelos conservadores. Mas, dentre estes, o núcleo mais à direita, que aglutina interesses de pecuaristas, industriais da carne e ruralistas em geral, força seus deputados a votar leis que reduzam ainda mais as matas ciliares. Os rios viram canais de escoamento de agrotóxicos, matando peixes e contaminando as populações ribeirinhas. O desmatamento geral da Amazônia contribui para a emissão de gases no planeta e fere de morte o pulmão do mundo. Fortalecidos pela militância que afirma que não há aquecimento global, muitos conservadores fazem a defesa dessa tese para justificar o descuido predatório diante das nossas florestas.

Seguindo tal ideário, Bolsonaro nomeou ministro do Meio Ambiente o jovem Ricardo Salles. Quem é? Ora, nada mais, nada menos que um condenado pela Justiça de São Paulo por fraudar processo de plano de manejo da área de proteção ambiental da várzea do rio Tietê. Mais um feito de Bolsonaro que, se não me falha a memória, pode ser considerado inédito: o ministro do Meio Ambiente da República é criminoso contra o meio ambiente!

A ideia básica da direita, em matéria de preservação do meio ambiente, é completamente fora de propósito. No mundo todo, a direita luta contra a tese do aquecimento global. Não quer considerar nenhum aviso sobre aquecimento global. Tende a diminuir a importância da participação da ação humana na degradação ecológica da Terra. Essa direita faz de tudo para que suas indústrias continuem poluindo não só como faziam no século XIX, mas também como podem fazer hoje em dia, com o lixo eletrônico e outros lixos tão perigosos quanto. Particularmente, o Brasil é um lugar com a terra doente. Toda a programação de nossa direita visa ampliar essa patologia.

É interessante, aqui, notar o panorama internacional, na visão do jornalismo crítico do professor da Fundação Getulio Vargas Oliver Stuenkel. Ele destaca como a direita vem reagindo aos avanços dos que se preocupam com o meio ambiente:

> *Em muitos países, a extrema direita respondeu de maneira brilhante e conseguiu transformar o debate em uma guerra cultural. Em uma jogada sofisticada, a direita populista eliminou a dimensão científica do debate e acusou as chamadas "elites globalistas" de criar uma ameaça imaginária para minar o Estado nacional, favorecendo plataformas*

> *internacionais (como as Nações Unidas), as quais ela acusa de pouca legitimidade democrática. Populistas de extrema direita aproveitam ainda os alertas dos especialistas em clima para fomentar ódio contra as universidades, centros de pesquisa e o conhecimento científico como um todo.*[11]

Deve-se notar, aqui, que o destaque fala em "extrema direita", não simplesmente em direita. A razão me parece simples: de fato, há muitos conservadores que, enfim, podem até votar com o bolsonarismo, mas estão se adaptando ao modo vegano de vida, inclusive por questão de amor aos animais – os pets vieram para ficar, sabemos disso. Talvez seja por esse elo que muito do discurso sobre o meio ambiente, vindo da esquerda e dos liberais, possa ser melhor refletido e absorvido por camadas cada vez mais amplas da população. Torço para que sim.

---

11 Stuenkel, Oliver. "Política ambiental acirra embate ideológico ao redor do mundo". *El País* Brasil, 12 de julho de 2019. Disponível em: <https://brasil.elpais.com/brasil/2019/07/12/opinion/1562946819_580269.html>.

15. Da mulher intimidada à mulher armada

A direita adepta do bolsonarismo tende a enfrentar qualquer posição próxima de algo que cheire a feminismo usando da intimidação sexual e moral. "Você não merece ser estuprada", diz Jair Bolsonaro. "Feminista não entende de mulher", diz Luiz Felipe Pondé. No primeiro caso: a mulher estuprada seria premiada, se o estuprador fosse ele próprio, o garanhão Bolsonaro – assim ele pensa. No segundo caso: feminista não é mulher, e quem entende de mulher é o macho alfa, ele próprio, Pondé – assim ele imagina ou quer se imaginar. Nos dois casos, a mensagem é esta: temos um grande mastro no meio das pernas reservado para vocês, seres inferiores, mulheres. Parece ridículo, é ridículo. Mas essas pessoas pensam realmente assim. Ou, para afirmar uma masculinidade duvidosa, pretendem se passar por cafajestes. Optam pelo banditismo para parecerem homens!

Algumas mulheres não percebem as agressões quando são realmente ofendidas. É preciso entender o mecanismo da opressão. Nem todo agredido se sente agredido após uma vida de agressão. Mas há mulheres, claro, que se sentem, sim, ofendidas. Podem reagir ou baixar a cabeça. Estas últimas dizem: "O mundo é assim mesmo." Há também as que sabem que houve uma tentativa de intimidação, mas já ultrapassaram o tempo em que podiam se sentir ofendidas diante de gente que um Jeca, como o que Mazzaropi representou, chamaria de "ignorante".

O problema desse tipo de posição de direita é que alimenta algo maior. Alimenta a desconsideração pela mulher que, em horas infelizes, se transforma em agressão simbólica marcante e insuperável ou em agressão física mortal. Quando as pessoas que defendem tais posições são as que possuem voz pública, não podemos desconsiderar e acreditar que a mulher não precisa mais ser considerada uma "vulnerável". As estatísticas de agressão e as análises das justificativas dos agressores dizem que a mulher é, sim, uma "vulnerável" na sociedade brasileira. A mulher pobre e negra, triplamente vulnerável.

Como resolver o problema da violência contra a mulher? O pior dessa situação é a solução da direita para tal coisa.

Eles, os da direita, não titubeiam em dizer que deveria haver a castração química! Ora, isso não é solução, é competição. A pessoa de direita apenas quer eliminar aquele que, no imaginário, tem um pênis maior que o dele. E eles próprios, não raro, são agressores de mulheres. A castração química é só propaganda dos próprios agressores, não resolve nada. A segunda solução proposta pelo bolsonarismo é a distribuição de armas para as mulheres. Ou então a solução da deputada estadual do PSL, Janaína Paschoal, que é a de fazer as escolas ensinarem artes marciais para as meninas! Em termos de imaginação inócua, temos de confessar, a direita brasileira ganha de qualquer concorrente.

A solução é a educação da população sobre direitos da mulher, o fortalecimento intelectual do feminismo e, enfim, no âmbito do curto prazo, uma política de segurança pública que use a inteligência e tenha nas mãos o conceito de feminicídio para aplicar a lei.

A intimidação da mulher não é coisa que se resolva dando arma na mão de indivíduos. Essa ideia de fazer o cidadão pagar impostos para ele mesmo fazer o serviço público, ou seja, a segurança, é uma ideia estúpida. Muito menos é o caso de dizer para a mulher: vá à delegacia e denuncie. Nem todas podem fazer isso com tranquilidade. Transformar a mulher em personagem de quadrinhos, um tipo de Mulher-Maravilha, não é sinônimo de fomento do empoderamento.

16. Paulo Guedes ou Do neoliberalismo antediluviano

Nas eleições de 1989 havia um candidato que se dizia liberal autêntico: Afif Domingos. Ele chegou a montar um partido: PL, o Partido Liberal. Não conseguiu nada. Seu assessor para assuntos econômicos era um jovem com bochechas crescidas, que havia estudado na Universidade de Chicago, o lugar sede do neoliberalismo. Esse jovem era Paulo Guedes. De lá para cá ele não conseguiu mudar em uma vírgula sequer o neoliberalismo que professava naqueles tempos de Afif. Estagnou. Mas duas coisas continuaram a crescer nele: as bochechas e a voracidade em privatizar tudo e dilapidar de vez o patrimônio público de nosso país.

Paulo Guedes se tornou parceiro de Bolsonaro. Este, como se sabe, nunca foi amigo das letras, e Guedes, por sua vez, não tendo sido muito expressivo em carreira acadêmica, se deu bem com o capitão reformado. Soube perceber os ventos e pegou o cavalo encilhado. Com a prisão de Lula, Bolsonaro era o segundo colocado nas pesquisas, e Guedes alimentava, desde os tempos com Afif, o sonho de chegar ao Planalto. Deu certo. Chegaram juntos, no mesmo trote. Guedes montado no brioso.

Bolsonaro passou a se dedicar à dilapidação do país em termos éticos e ideológicos. Guedes fez o mesmo no campo econômico. Na mesa de Guedes sempre esteve um grande plano de privatização. O que não se sabia, até os primeiros meses de governo, é que seu plano era o maior plano de privatização já elaborado em qualquer outro país.

O problema todo é que Guedes possui dois discursos, e ambos são mentirosos.

Um discurso é bem velho, e é o de todos os liberais: o Estado não pode ser empresário, deve se abster de intervir na economia no sentido de querer ter empresas e promover o desenvolvimento. O Estado seria disfuncional nesse quesito. Se o Estado sai dessa atividade, pode ter o dinheiro recolhido não para subsidiar empresas que, segundo tais liberais, seriam improdutivas nas mãos estatais, mas para investir no que importa: serviços públicos, especialmente saúde e educação. Os próprios liberais se desmentem, pois tão logo privatizam empresas, dizem que também hospitais e escolas seriam melhores se fossem todos particulares.

O segundo discurso é menos mentiroso. Diz, de fato, que a privatização vai fazer sobrar dinheiro no caixa do governo, e então este poderá honrar a dívida pública e, desse modo, fazer sobrar mais dinheiro para necessidades válidas. Só que os liberais não dizem que a dívida não vai ser paga senão nos juros, e que ela própria, a dívida, no nosso caso, é completamente ilegítima – feita por política monetária irresponsável e criminosa. Nunca a dívida pública se fez para que houvesse investimento social, mas, sim, para enxugar o caixa dos bancos, dado que eles, por manterem juros altos, ficaram sem emprestar.

Guedes está fora de moda, mas ele não sabe disso. Ele não entende que o neoliberalismo está em crise. Ele imagina viver, ainda, nos anos 1970, quando o ideário neoliberal surgiu para oferecer saída para a crise fiscal do Estado de Bem-Estar Social no mundo todo. A cabeça de Guedes vive num planeta em que Reagan e Thatcher estão no poder nos Estados mais proeminentes. Ele combina com Bolsonaro nas defasagens mentais. Bolsonaro diz que o seu governo veio "encerrar o socialismo no Brasil"; Guedes, por sua vez, diz que sua missão é "encerrar o governo social-democrata no país". A bobagem inteira dita por Bolsonaro é porta aberta para a meia bobagem de Guedes.

Se Guedes ainda pode falar algo é que, de fato, em termos de visão de mundo, o liberalismo ainda é hegemônico na medida em que vivemos no capitalismo.

Vivemos com a Constituição Cidadã, assim nomeada por Ulysses Guimarães. De fato, é uma Constituição liberal democrática com alguns dispositivos que cheiram ao Estado de Bem-Estar Social. Mas isso não autoriza falarmos em social-democracia no Brasil, em termos de política de governo. Nunca vivemos sob regime social-democrata.

O neoliberalismo avançou do governo Collor até o de Bolsonaro sem qualquer interrupção. O capitalismo financeiro nunca foi coarctado em nada, nem mesmo no governo Lula, que, enfim, nomeou Henrique Meirelles seu ministro da Fazenda, um banqueiro elogiado por americanos. Os bancos se locupletaram nos regimes de Fernando Henrique e Lula – todos os indicadores mostram isso. Ora, do que Guedes fala, então? De nada, apenas retórica vazia para implantar seu radicalismo privatizante, o fim de nosso parque industrial nacional e a vitória final do capitalismo financeiro no Brasil. Aliás, nunca se pode esquecer: Guedes é ele próprio um investidor financeiro, e assim ficou rico.

O governo Bolsonaro incentiva as privatizações de modo alucinante. A Petrobras é fatiada e entregue a preço de banana. Os estados, pegando carona nesse vagalhão, privatizam estradas e tudo o mais. Acreditam, falsamente, que as eleições os legitimam para tal. Pensam que quem votou nelas não agiu para que eles administrassem a coisa pública, mas também, estranhamente, se desfizessem da coisa pública. Políticos liberais são como um capataz de fazenda, que, contratado para tirar o leite da vaca, chega para o patrão e diz: “Olha, as vacas estavam dando muito leite, eu não estava dando conta de tirar tudo, então eu as vendi – agora o senhor não tem mais as vacas e não precisa se preocupar com mais nada.” E há capatazes que ainda dizem: “Na venda, eu tirei o meu, tá?”

17. Os militares de Bolsonaro e o Bolsonaro dos militares

Uma vez Bolsonaro eleito, a maior parte dos analistas apontou para o "núcleo militar" do governo como o elemento estabilizador dos embates internos, que certamente viriam e, de fato, vieram. Eles, os militares, iriam conter a fúria desorganizadora da família Bolsonaro e sua aliança com o ideário pouco razoável do guru Olavo de Carvalho. Outros esperavam até mais. Viam nos militares também um elemento de moderação na fúria privatizante de Paulo Guedes, o braço neoliberal do governo. Nesse segundo quesito, as análises falharam. No primeiro quesito, as análises acertaram no fato de que haveria indisposição entre grupos, mas só isso.

De fato, os militares de hoje, ao menos os que estão com Bolsonaro, resistem pouco ao projeto privatizante de Guedes. É necessário considerar que eles são da reserva, alguns deles são de extrema direita (general Heleno e general Mourão à frente), e não representam os generais da ativa. Mas também faz-se necessário notar que, entre os cadetes das Forças Armadas, reina certo infantilismo e, enfim, o amor por Bolsonaro existe. E se Bolsonaro largou seu ideário estatista para privilegiar Paulo Guedes, então ele deve estar certo – assim pensam os cadetes. O nacionalismo militar, um dia comemorado por certa parte das esquerdas, desapareceu. O patriotismo, se é que existiu, virou apenas uma palavra. Uma frase vazia.

Tomando a história do Exército a partir de hoje, não é tão difícil dizer que o que ocorre agora seria, de fato, o destino das Forças Armadas. A única vez que atuaram de modo realmente glorioso foi na Segunda Guerra Mundial. Mas isso foi um feito da FEB, dos pracinhas, que deram a vida na Itália pela democracia. As Forças Armadas, mesmo, não beberam dessa água. Em 1964, então, com a perseguição interna dos militares que se opuseram ao golpe (uma história ainda não contada!), as Forças Armadas perderam seus membros mais altivos e, de certo modo, os mais inteligentes. As Forças Armadas se transformaram nisso que vemos agora, um punhado de gente que obedece a um capitão reformado, ou seja, um membro afastado do próprio Exército. Com esse resultado nas mãos, entendemos que, desde o início, desde a formação do Exército brasileiro, as coisas não iriam dar certo.

Basta recordarmos brevemente alguns dados históricos para entendermos quanto, hoje, os militares de Bolsonaro são uma massa amorfa.

O Exército brasileiro saiu fortalecido da Guerra do Paraguai. Após o massacre que se fez naquele país, algo bem pior que os americanos fizeram no Vietnã, o Exército voltou da terra guarani com prestígio para influenciar na política. O duque de Caxias surgia como o grande herói, e àquela altura gozava de prestígio por ter feito as campanhas de pacificação diante de revoltas de cunho liberal, por todo o Brasil, nos tempos da Regência. De fato, se olharmos para o tipo de ação contra os próprios brasileiros desempenhado pelo Pacificador, teremos, então, clara a visão do germe da disposição do Exército de acolher, depois, a ideologia do "inimigo interno". Uma tal ideologia se revelou útil aos torturadores de 1964, e até hoje é, em parte, cultivada.

Essa ideologia do "inimigo interno" também teve seu fortalecimento na forma com que foram dados os títulos de "coronel". Até 1922, os proprietários de terras, bem como membros da corte tinham o direito de organizar pequenos exércitos para manter a ordem urbana e rural. Mesmo após a extinção desse regime, os títulos continuaram a persistir na linguagem popular e até mesmo diante do Estado. As funções não desapareceram. A Primeira República ganhou o nome de "República dos Coronéis". Ainda hoje o termo é usado para chefes políticos locais. Estes, então, não raro se arvoram o direito de pagar a milícias ou jagunços.

Até muito pouco tempo, elementos das Forças Armadas se davam muito bem com esse coronelato e seus jagunços. Isso desapareceu por completo? Pela impunidade dos assassinatos de líderes do Movimento dos Sem Terra e dos protetores da Amazônia, é necessário reconhecer que o coronelato não morreu, menos ainda sua aliança com o poder central. As Forças Armadas fazem vista grossa para tal. A ideia do coronel como alguém que teve, de fato, patente militar, não se desfez do imaginário e, portanto, do respeito interno das Forças Armadas.

Quando dos tempos da ditadura militar de 1964, as Forças Armadas já sabiam entoar o canto, havia muito instaurado, dos donos das terras e da ideologia das classes médias. O anticomunismo veio, por essa via, se unir à ideia de combate à corrupção. Isso sempre foi mais poderoso que o nacionalismo e o patriotismo. Por isso, agora, é fácil para o Exército ver em Paulo Guedes o homem correto para tocar a economia e Moro um quase substituto de Caxias, um autêntico representante urbano das funções do coronelato.

É difícil achar algo glorioso nas Forças Armadas, por essa história de subserviência aos proprietários. É isso que mantém os militares de Bolsonaro muito simpáticos ao Bolsonaro dos militares.

18. A Rede Globo

"A Rede Globo manipula." Não, a Rede Globo, na maior parte das vezes não manipula, ela diz a verdade. Há muitos modos de se dizer a verdade. Só se faz ideologia na mídia – e isso é o que mais se faz – dizendo a verdade. A ideologia se sustenta na verdade, de modo que o leitor possa confiar no meio que carrega a mensagem, mas se faz segundo uma narrativa interesseira. Isso é ideologia. Assim trabalham os meios de comunicação. E por dizerem a verdade, eles são confiáveis. Tanto na Alemanha quanto no Brasil, mais de 65% da população confia em revistas, jornais e TV.

A mídia brasileira, especialmente a TV e, dentre elas, a Rede Globo, faz um jornalismo profissional que não destoa do que é feito em outros países, especialmente se considerarmos o dinheiro envolvido, a capacidade financeira da mídia americana e outras. Como esse jornalismo é feito?

A Rede Globo funciona a partir de cinco campos de pressão, que a tensionam internamente e, não raro, produzem efeitos bem nocivos na saúde de seus funcionários. Em primeiro lugar, há o campo do jornalismo propriamente dito ou, de modo mais geral, dos produtores de conteúdo (entretenimento etc.). Nesse caso, há o predomínio pela busca da seriedade, pela ideia de padrões de informação coerentes com o que os jornalistas aprendem em suas escolas de origem. Em segundo lugar, há a empresa Globo, que, como empresa, está cada vez mais hegemonizada pelo capitalismo financeiro. A empresa Globo depende do rentismo. Em terceiro lugar, há os patrocinadores, que compram horários que, se são caros, assim o são por conta da audiência dos programas aos quais os comerciais estão ligados. O comercial é o que a Rede Globo realmente vende. Há também, em quarto lugar, a concorrência e, desse modo, a questão da qualidade técnica e de conteúdo da programação. Um quinto campo é externo, e é preenchido por nós todos, os telespectadores, que estamos em busca de bom entretenimento e jornalismo confiável.

O que a mídia produz é o resultado vetorial desses campos de força. Poucos administradores da mídia conseguem ter o controle desses vetores. O resultado da soma vetorial nem sempre aponta para o que os acionistas de uma empresa de mídia (ou donos) desejam. Nesse esquema, a ideia de uma mídia manipuladora cai por terra. O que a Rede Globo consegue fazer, em se tratando do seu destino, no máximo é manter uma coerência ideológica, em geral mais com o capitalismo financeiro (e a ideologia liberal a ele ligada) do que com qualquer outro sinal vetorial dos campos.

No caso do governo Bolsonaro, é claro que a Rede Globo não concorda com suas teses no campo da pauta de costumes. Mas ela tende a dar aval a Moro, no campo da ideologia de classe média – a mesma de 1964 e do governo Collor – enquanto setorizada no âmbito jurídico político. Reproduz esse apoio em vários pontos da pauta econômica: flexibilização de leis trabalhistas, reforma da Previdência de cunho neoliberal, privatizações etc. Todavia, um tal apoio, assim direcionado, custa à Rede Globo um enorme esforço de administração e editoração, que rapidamente consome a vida e a saúde dos que trabalham na empresa. O índice de empregados que caem em depressão ou estresse não é pequeno. Nunca se sabe o que de fato agrada aos chefes. Os chefes, por sua vez, nunca sabem o que de fato agrada à somatória dos vetores e quanto ela corresponde ao que deveria corresponder.

A Rede Globo não é o quarto poder. Além disso, no campo político, ela é, também, o saco de pancadas do populismo. A esquerda e a direita disputam entre si, no campo do populismo, a indisposição da Rede Globo. Os populistas apostam que se tiverem, ao menos nas campanhas, a Rede Globo contra eles, as chances de se elegerem aumenta muito. Uma vez eleitos, aí tudo muda. Precisam, então, renegociar pactos com a Globo. Nisso, dado o senso comum liberal, o populismo de direita tem mais sorte e mais facilidade.

A Rede Globo não comanda a política. Mas tenta. E às vezes comanda às avessas. Quem mais bater nela, leva!

19. *Bruna Surfistinha*

No dia 19 de julho de 2019 o movimento Escola sem Partido, dirigido pelo advogado paulista Miguel Nagib, encerrou suas atividades. O movimento fora criado para o patrulhamento de professores, tanto do ensino básico quanto do universitário. Bastava ser professor para ser visto como alguém com grande potencial de incutir nos jovens as "ideologias nefastas". Para fechar as portas, Nagib alegou que o próprio presidente Bolsonaro não lhe deu apoio. Claro, uma vez no comando do governo, Bolsonaro passou a fazer a campanha contra os professores por ele mesmo, não precisava mais de ninguém na competição pelo público de direita.

Bolsonaro mantém vivo o espírito do "Escola sem Partido", sem precisar gerar novos líderes ao seu redor.

Nesse mesmo dia de fechamento do Escola sem Partido, Bolsonaro fez outra investida conservadora contra a cultura. Foi à TV dizer que iria fechar a ANCINE (Agência Nacional do Cinema) caso ela não pudesse ser submetida a um "filtro" ligado diretamente aos seus interesses. A declaração veio a propósito de seu comentário ao filme *Bruna Surfistinha*. Qualificando erradamente o filme como "pornográfico", Bolsonaro disse que não cabia que uma tal produção pudesse vir a ser patrocinada com dinheiro público. Logo em seguida completou: o cinema, uma vez financiado pelo governo, teria de ter filmes sobre os "heróis de nossa pátria", os que haviam colaborado para ela "ser livre". Visto que Bolsonaro votou pelo *impeachment* de Dilma Rousseff em homenagem ao torturador Brilhante Ustra, justamente o homem que a torturou na prisão, não fica difícil imaginar o que ele tinha na cabeça ao falar de "heróis". Ele não se alongou na polêmica. Mas, com certeza, o que ele queria dizer é que dinheiro público deveria ser gasto em filmes de promoção dos militares criminosos do regime de 1964. Bolsonaro nunca teve qualquer pudor com o corpo alheio.

A direita pensa exatamente como Bolsonaro. Há até uma direita moderada que, no frigir dos ovos, lhe dá apoio nesse seu modo de ver a cultura. A cultura não tem utilidade se não satisfaz os interesses dessa direita – assim pensa o bolsonarista. Pessoas dessa direita se arvoram no direito de falar em dinheiro público como se elas fossem, de fato, o único público. Desconhecem a ideia de nação, de país democrático.

Qual a utilidade do cinema? Se muita gente vê um filme, é porque é pornográfico e tem de desaparecer;

se pouca gente vê, então não tem utilidade, não se viabiliza financeiramente e, então, é tido como não tendo qualidade. No Brasil, até mesmo para pessoas que nem sempre estão alinhadas com a direita, a arte tem de dar lucro. Nossa baixa educação artística não nos permite entender que para que exista público para um tipo de arte é necessário que essa arte seja financiada pelo Estado e ensinada nas escolas.

Bruna Surfistinha teve boa bilheteria. Então que se vire sem dinheiro público, dado que é "pornográfico" – assim pensa Bolsonaro. Mas se há um espetáculo de balé precisando de financiamento, ele reage negando verbas, uma vez que "ninguém gosta de balé", só "os ricos", então, eles que financiem o espetáculo – nessa hora Bolsonaro vira defensor do que ele entende serem "os pobres". Em resumo: o importante é que aquilo que é chamado de cultura não venha tirar dinheiro do Estado. Todo o dinheiro está comprometido com o pagamento dos juros da dívida! Que ninguém venha querer mudar isso!

A cruzada moral contra a arte é séria e sincera da parte de Bolsonaro, mas para Guedes é apenas uma forma de ele próprio continuar com seu projeto de desmonte do Estado de Bem-Estar Social que ele imagina estar construído no Brasil. Pagar a dívida e fazer os bancos continuarem a viver sem regras, eis aí a lógica de Guedes. Se o moralismo barato e retrógrado do presidente Bolsonaro ajuda nisso, na economia de dinheiro para que se possa dar sustentação aos bancos, então Guedes logo se torna moralista também.

Guedes e Bolsonaro são muito parecidos. Ambos não possuem nenhum apreço pela cultura. Os modos de Guedes, que deveriam ser o de alguém com estudo, não diferem muito dos modos do grosseirão Bolsonaro. Nem os gostos diferem muito. Aliás, ambos não possuem a libido bem direcionada. Bolsonaro mira o prazer na militância ideológica, Guedes tem arrepios com o acúmulo de dinheiro. Nenhum dos dois possui o semblante que venha a espelhar alguma felicidade. Bolsonaro tem o rosto endurecido, Guedes é, visivelmente, pela face, uma pessoa deprimida. Nenhum dos dois consegue fitar Deborah Secco, a protagonista de *Bruna Surfistinha*. Eles não se interessam.

20. Envenenando o brasileiro

O que é real e o que não é? O filósofo francês Alain Badiou lembra que nós, modernos, temos a tendência de conferir realidade ao que está escondido, ao que podemos enxergar por uma fresta, muito mais do que aquilo que é visível de modo claro. O que é da ordem do que se revela como um escândalo, do que é descoberto, é a "verdadeira realidade". A clareira é menos real que as sombras! O corriqueiro, o que tem tudo para ser o real, cai para um segundo plano se temos na mão a chance de mostrar que algo estava escondido – isto sim é a realidade. Bolsonaro trabalha de maneira antimoderna, que não permite que essa sensação predomine. Esse seu truque, certamente feito antes pela sua estupidez que por qualquer coisa, funciona bem.

Bolsonaro não deixa que algo fique na penumbra. Ele sempre lida com o que tem de lidar com certa naturalidade, certo modo espontâneo de dizer barbáries. Sua relação rude e crua com tudo não nos faz conseguir enxergar biombos que poderiam estar escondendo aquilo que chamaríamos, com facilidade, de realidade. Bolsonaro trabalha, então, como uma forma de hiper-realismo. Assim ele lida com jornalistas que lhe perguntam sobre desmatamento e agrotóxicos. Ele diz, sem pestanejar, com base na evidência do simplório, do infantil, que os dados apresentados sobre o desmatamento são falsos e que os agrotóxicos não fazem mal. Nada há a esconder. Nada há que procurar: o que lhe é dito que não o apraz simplesmente é negado, é posto como errado por uma frase contrária. Pronto!

Com qualquer outro governo, essa técnica de simplesmente dizer que o especialista que fala dos dados está errado não funcionaria. Mas com Bolsonaro isso funciona. Bolsonaro possui um eleitorado cativo que pouco se importa com especialistas e investigações. Basta ele contestar de modo simplório o que os estudados dizem, e ele satisfaz boa parte de seu eleitorado. A direita ligada a Bolsonaro tem predileção pelo pensamento mágico: se eu nego algo, este algo desaparece de minha frente.

É assim que Bolsonaro tira da sua frente a verdade, lançada na sua cara, de que ele está envenenando os brasileiros com agrotóxicos em demasia.

O governo Bolsonaro, em apenas seis meses, fez mais pelo negócio dos pesticidas e agrotóxicos que qualquer outra entidade mundial. Liberou todo tipo de agrotóxico que estava sendo barrado pela burocracia governamental. A justificativa para tal, adotada também pela sua ministra da Agricultura, que, por sinal, veio do âmbito da bancada ruralista, foi uma só: esses agrotóxicos estavam barrados por "viés ideológico" dos governos anteriores.

Todas as entidades nacionais e internacionais exibiram ao governo que os agrotóxicos aqui liberados não o são em seus países de origem. Mas o governo não se preocupa em restituir o debate para se chegar a uma realidade. Imagina que não há nada a esconder, que sua resposta já foi dada: os dados sobre a periculosidade dos pesticidas são falsos. Que dados seriam os verdadeiros? O governo não diz, não precisa dizer, pois não se baseia em nenhum dado sobre o assunto. Uma vez dito, pela voz do presidente, que havia antes o "viés ideológico", tudo se resolve.

A geógrafa Larissa Mies Bombardi publicou na Europa, propositadamente, o seu bom e útil atlas da Geografia do uso de agrotóxicos no Brasil e conexões com a União Europeia. Lançou o volume em 2017, com edição revisada em 2019. Nesse trabalho, busca mostrar exatamente o que Bolsonaro nega: na Europa continuam a ser fabricados os agrotóxicos proibidos em seu território, exatamente porque há compradores em outros países, especialmente no Brasil.

Os europeus preferem pressionar o Brasil que pressionar suas próprias companhias. Eles estão certos. Em termos legais, o que podem fazer é restringir suas companhias no uso de venenos em seus territórios. Em territórios alheios, são os donos dessa terra que devem se cuidar. A direita que apoia Bolsonaro não dá atenção a isso. Não considera esse perigo um perigo de fato. Há ricos que sempre acreditam que, podendo pagar o hospital, como sempre pagam, tudo se resolverá. A classe média, que se imagina rica, segue o mesmo pensamento.

É claro que muitos que apoiaram Bolsonaro e estão no governo ganham dinheiro com a indústria do agrotóxico. Há a renda direta com o produto e há a renda indireta com tudo aquilo que cresce e vai para a nossa mesa em poucos dias, e com espantosa capacidade de preservação. Mas o próprio Bolsonaro, nesses casos, diverte-se mais com o fato de conseguir contrariar o que ele entende que seja a esquerda do que realmente levar algum dinheiro ilícito (embora não vá rechaçar) de empresas. Seu desejo de fustigar as esquerdas é maior que seu amor até mesmo pelo dinheiro. Bolsonaro tem uma sede imensa de poder. Que poder? O poder de conseguir contrariar todas as vozes iluministas.

21. Lula na visão de Bolsonaro

Bolsonaro tem certos arrepios libidinais por Ciro Gomes. Ele vê Ciro como o "machão" que o impressiona e o faz estremecer. Bolsonaro não odeia Lula. Aliás, em muitos aspectos, o admira. Bolsonaro disse que já votou em ambos. Bolsonaro não é Dória, este, sim, tem uma imensa mágoa e inveja de Lula. O ex-presidente foi tudo o que ele queria ser, uma liderança nata. Dória só conseguiu entrar na política, para valer, tardiamente, e só por conta do dinheiro. Bolsonaro sempre esteve na política, acostumou-se com Lula. Ódio, mesmo, Bolsonaro tem é do PT. Ele associa o PT – especialmente a partir do governo Dilma – ao comunismo internacional.

Dilma se apresentou a Bolsonaro de modo mais agressivo. Mulher e comunista! Assim é que lhe vem a imagem de Dilma em sua mente. Isso Bolsonaro não suporta. Ele odeia as petistas muito mais que os petistas. Mas, em relação a alguns comunistas, ele mais teme que se enraivece. A deputada Jandira Feghali, do PCdoB, causa tremor em Bolsonaro. Ele se esforça para acompanhar seus discursos, mas não entende o que ela fala. Julga-a inteligente (nisso ele acerta), só que mais por não compreender seus argumentos do que por qualquer outra coisa.

Mas quanto a Lula Bolsonaro resume tudo a um único ataque: "Se Lula tomasse a facada que eu tomei vazaria pinga e não sangue." Ele chegou a dizer isso, não foi além. Bolsonaro parece, no fundo, temer bater em Lula e fazer rugir algo maior que ele.

Bolsonaro e Olavo de Carvalho, seu guru, imaginam que o PT e o Foro de São Paulo possuem muito mais poder do que realmente possuem. Não é uma avaliação fictícia proposital, para unir a direita. Eles dois realmente acreditam nisso. Entendem que precisam se organizar com Steve Bannon numa Internacional de Direita capaz de se protegerem de uma possível volta do PT ao poder. Olavo e Bolsonaro entendem que o Foro de São Paulo, uma organização que nem mais tem participação entusiasmada do PT, prepara-se para "implantar o comunismo na América Latina", um "projeto totalitário e criminoso de dominação de todo o continente". O modo de Bolsonaro e Olavo pensarem é, sem dúvida, paranoico. Mas eles realmente se movem segundo tal diretriz. Olavo por acreditar em seus próprios pesadelos e "teorias" e Bolsonaro por viver ainda hoje o que lhe foi ensinado na Academia Militar sobre o "domínio do mundo pelo comunismo".

Todavia, quanto à figura de Lula, Bolsonaro desconfia que de fato – como é verdade – não se trata de um comunista, e sim de apenas um líder que, enfim, tem o que ensinar para ele mesmo. É que os mundos de Bolsonaro e Lula não são muito distantes. O meio popular lhes é bem conhecido. O PT é que incomoda Bolsonaro, em especial as pautas petistas que envolvem direitos de minorias e Direitos Humanos. Afinal, há muito o PT não fala em reforma agrária, mudança do regime de propriedade ou coisas do tipo. Aliás, o PT chegou a flertar com o neoliberalismo antes de Bolsonaro. Lula encontrou Meirelles bem antes de Bolsonaro encontrar Guedes. A diferença é que Meirelles é um neoliberal gabaritado – dizem!

É claro que Lula na cadeia tira o sono de Moro e outros. Preocupa, sim, Bolsonaro. A direita não acredita que Lula seja um "defunto eleitoral", como chegou a dizer Ciro Gomes. Bolsonaro viu quanto Fernando Haddad lhe deu trabalho na eleição. Lula na cadeia, sem poder fazer campanha política, sem dizer nada, quase que enfia um candidato contra ele e lhe tira a vitória. Bolsonaro diz que o povo está com ele, mas ele sabe bem que o que ele chama de povo é apenas uma parte do Brasil, que, aliás, o teria abandonado se nas últimas eleições Lula tivesse concorrido. Não à toa Bolsonaro chegou a dizer que devia sua eleição a Moro. Essa frase tinha vários sentidos. Todos verdadeiros.

22. As trapalhadas com o Mais Médicos

Na época do acordo para trazer cubanos para o Mais Médicos, de fato o programa era criticável. Parecia um mero paliativo relativamente populista. Mas, enfim, os cubanos vieram e acabaram sendo úteis à população. Talvez não fosse a melhor solução, mas assim foi feito e eles se tornaram indispensáveis.

Bolsonaro, quando ainda não era o presidente, inusitadamente tomou a frente de Temer e, assumindo a condição ilegítima de chefe de Estado, colocou publicamente exigências para o governo cubano, caso este quisesse continuar com médicos aqui no Brasil. Ofendeu o setor de saúde do governo cubano e criou o cancelamento do programa Mais Médicos. Cuba se retirou. Bolsonaro começou a governar errado antes de tomar posse! Um equívoco imperdoável tanto do ponto de vista diplomático quanto político. Falou que não faria nada por viés ideológico, mas tomou uma atitude tendo como mote o viés ideológico.

Esse episódio mostrou, antes da posse, que Bolsonaro iria agir sempre por viés ideológico a fim de combater o que ele chamava de "viés ideológico".

O argumento de Bolsonaro não foi sincero: ele chegou a dizer que os médicos cubanos estavam sendo explorados pelo governo de Cuba. Ora, que o programa carecia de uma adaptação para acertar seu modelo com a nossa legislação trabalhista poderia muito bem ser algo considerado. Mas Bolsonaro, é bem verdade, nunca se preocupou com o trabalho escravo no Brasil. Esteve trinta anos como deputado e nunca fez nada nesse sentido. Sua repentina preocupação com a exploração do trabalho não soou sincera para ninguém. Ele realmente esteve, em algum momento, preocupado com o fato de os cubanos repassarem um tanto do que ganhavam para o governo cubano? Bolsonaro nunca foi alguém com interesse legal e humanitário. Além disso, os cubanos estavam contentes com o tal acordo, sob o qual vieram trabalhar. Vários deles me escreveram dias antes de terem de deixar o país, dizendo que se sentiam honrados em poder repassar para Cuba um tanto do que ganhavam, pois tinham estudado gratuitamente e achavam que o dinheiro que o governo pegava era necessário para investimentos nas próprias faculdades.

Também seria possível, para Bolsonaro, por meio do Itamaraty e de uma conversa séria e aberta, acertar uma transição para os cubanos terem seus diplomas equiparados com os nossos. Mas Bolsonaro preferiu ofender a todos. Aliás, a tese mais ridícula levantada pela direita foi a de que os médicos cubanos não são competentes. Os testemunhos sobre o trabalho deles, tanto de pacientes quanto de outros médicos, sempre foi expresso segundo a seguinte frase: "Eles sabem muito bem o que têm de fazer." Sem qualquer conhecimento do assunto, mais uma vez, Bolsonaro se deixou levar pela mera ideologia e pela incapacidade de pensar nos necessitados. Em nenhum momento pensou no Brasil.

Bolsonaro, como depois se tornou uma praxe, agiu intempestivamente, por viés ideológico, ódio e falta de raciocínio. Com isso, tirou 11 mil médicos de famílias pobres da noite para o dia. Deixou 200 mil cidades sem médico. Os especialistas vieram a público, dizendo que sem os cubanos o próprio programa Mais Médicos estava ameaçado de desaparecer. Afirmaram que a saída dos cubanos havia deixado 24 milhões de brasileiros sem médico. Uns afirmam que o número é bem mais que este.

Ora, o que custava Bolsonaro ter esperado a posse e preparado um concurso para brasileiros, para suprir as vagas possíveis. Ao mesmo tempo poderia negociar uma transição adaptativa com Cuba. Não! Bolsonaro não se importou nem um pouco com pobres. Porque ele, Bolsonaro, como deputado, sempre que necessitou de um médico, teve a seu dispor algo do bom e do melhor.

23. O chanceler olavete

Ernesto Araújo, o chanceler brasileiro do governo Bolsonaro, é uma olavete. Há alguns meses, poucos acadêmicos veriam necessidade de corrigir de público uma olavete ou o próprio Olavo de Carvalho. Mas descemos vários degraus na escala evolutiva, graças a Bolsonaro. O Brasil está com governantes aquém do que poderíamos imaginar nos nossos mais tenebrosos pesadelos, e nós, da universidade, nos vemos na obrigação de corrigi-los. Pois se nos omitirmos nessa hora, tudo pode ficar ainda pior.

Eis o que ele, Araújo, escreveu no Bloomberg:

> *Acham que a única alternativa para o desastre de Lula na política externa é pensar pequeno, recitar a cartilha das Nações Unidas e tentar fazer algum comércio. Lutam por algum tipo de mediocridade dourada. Querem que o Brasil simplesmente aceite "o mundo tal como o encontramos", parafraseando a famosa expressão de Ludwig Wittgenstein. Curiosamente, essa referência aparece no mesmo item do* Tractatus Logico-Philosophicus, *parágrafo 5.631,*

> *onde Wittgenstein afirma: "o sujeito que pensa e tem ideias simplesmente não existe." Essa espécie de desconstrução pós-moderna* avant la lettre *do sujeito humano e negação da realidade do pensamento está, portanto, associada à renúncia da própria capacidade de agir e de influenciar o mundo, implícita no pessimismo de tomar o mundo "tal como o encontramos". Essas são as raízes filosóficas da nossa atual ideologia totalitária globalista: ao proibir a independência do pensamento e a substância das ideias, ela consegue cada vez mais dominar o ser humano, enquanto dita: "você não merece liberdade porque você não existe, você não existe como ser independente, você é apenas a soma das partes do seu corpo e suas ideias são apenas construções sociais, então cale-se." Não gosto de Wittgenstein.*[12]

Por que Araújo citou Wittgenstein? Para mostrar às pessoas que ele é culto. Mas o problema é que ele é olavete. E quem segue Olavo de Carvalho não sabe que não sabe. E por isso mesmo ele citou Wittgenstein acreditando que havia entendido Wittgenstein. Mas o

12 Araújo, Ernesto. "Opinião: Bolsonaro não foi eleito para deixar o país igual, diz chanceler". Bloomberg, 7 de janeiro de 2019. Disponível em: <https://economia.uol.com.br/noticias/bloomberg/2019/01/07/bolsonaro-nao-foi-eleito-para-deixar-pais-igual-ernesto-araujo.htm?cmpid=copiaecola>.

que ele havia entendido é apenas a doutrina louca do olavismo. Como Olavo não consegue entender o que lê, e diz qualquer coisa sobre filosofia contemporânea, confundindo enunciados descritivos com normativos, Araújo acredita que a frase de Wittgenstein que critica o sujeito e o pensamento quer significar a negação da existência do próprio pensamento e a negação de que indivíduos humanos possam ser ativos!

Ora, se algum filósofo dissesse que indivíduos humanos não pensam e que eles não podem ser ativos, ninguém em sã consciência iria ouvi-los. Tirar isso da filosofia contemporânea é coisa da cabeça de Olavo e, enfim, de Araújo, que ao fazer isso mostra sofrer de um tipo de Deficiência Cognitiva Programada (DCP). Como ouviríamos a filosofia se a filosofia concluísse que o pensamento não existe e que o indivíduo não pode agir, só pode ser passivo? Da mesma maneira que Olavo, Araújo não sabe ler não só filosofia, mas não sabe simplesmente ler. Ele não consegue distinguir entre o que é razoável e o que não é razoável que um grande filósofo possa dizer. Mesmo não sabendo nada de Wittgenstein, se ele fosse uma pessoa com inteligência normal saberia que o filósofo austríaco não poderia estar dizendo tal coisa.

A crítica de Wittgenstein ao sujeito é ao sujeito moderno enquanto sujeito cartesiano. Sua crítica a tal figura advém de sua crítica ao que o filósofo americano Donald Davidson chama de "mentalês", e que entre outros leitores de Wittgenstein se chama "crítica à possibilidade da linguagem privada". Do que se trata?

A linguagem privada ou o mentalês são linguagens hipotéticas, não sociais, que seriam inatas dos humanos. Vou explicar grosseiramente, de modo didático, para o leigo. Quem acredita na existência da linguagem privada acredita que um bebê, ao chorar, está dizendo alguma coisa que, depois, irá se transformar em "ai" ou "ai que dor". Mas Wittgenstein e outros dizem: não temos como saber se isso ocorre. Pois quando aprendemos a falar "ai" já não nos lembramos mais, e nunca nos lembraremos, se um dia, quando choramos, queríamos dizer "ai". E, afinal de contas, por que iríamos trocar o choro pelo "ai"? Afinal, o choro é até mais eficiente que o "ai"! Desse modo, a ideia de uma linguagem privada, um mentalês, uma linguagem que é expressão do próprio pensamento, e que ficaria preservada como pensamento, tendo de ser traduzidas para o "português" ou "inglês" etc. as linguagens sociais (naturais), é uma hipótese que não temos como transformar em tese e arrumar para ela uma defesa plausível. Sendo assim, o "eu penso" cartesiano não pode ser tomado como um dado que expressa uma linguagem privada, mas, sim, algo que já pressupõe a sociedade e a aquisição da razão e da linguagem, que pronuncia o "eu penso". Assim, o sujeito cartesiano não pensa. Ou ao menos não pensa no sentido apriorístico da palavra.

Está criticado aí o *cogito* cartesiano. Ele é criticado enquanto se arvora de ponto absoluto, ou seja, polo metafísico. Wittgenstein colabora, então, com outras críticas ao sujeito cartesiano como base de uma metafísica, a "metafísica da subjetividade", como a denominou o filósofo alemão Martin Heidegger. Mas isso nada diz da capacidade de cada um de nós termos pensamento e dizer que são nossos pensamentos os pensamentos que expressamos, e nada diz de podermos agir segundo eles na transformação das coisas e com responsabilidade por nossas expressões e nossos atos.

Assim, basta entender isso para entender como ler corretamente a frase citada por Araújo.

É triste demais ver que Araújo tenha conseguido entrar no Itamaraty. Quando o governo Bolsonaro acabar, será necessário rever os exames do Itamaraty para se descobrir como Araújo conseguiu.

24. O cacique assassinado

A prática de governo de Bolsonaro tem como objetivo o neoliberalismo máximo ou, para alguns, o anarcocapitalismo. Bolsonaro funciona como o agente do caos, a criação de uma sociedade em que vale o faroeste. O Estado deveria desaparecer e a lei viria pela força do mais forte, uma espécie de darwinismo social.

Nesse esquema, enquanto Guedes entrega o patrimônio público, ele, Bolsonaro, dedica-se a criar a sociedade sem lei. Os filósofos conhecem tal figuração como "escada de Wittgenstein". Subimos por ela e, então, uma vez no paraíso requisitado, jogamos a escada fora e negamos que um dia ela existiu. Mas o paraíso não é o paraíso, e sim o inferno. A sociedade onde impera a regra do darwinismo social é aquela dos anarcocapitalistas, lugar que, se eles pensassem direito, nunca iriam requisitar.

A forma como Bolsonaro cria o caos social é conhecida de antes da eleição. O episódio do Mais Médicos indica bem sua práxis. Cria-se clima para que o pior aconteça e, então, o pior realmente acontece, pelas mãos de outros. O episódio da morte do cacique

Emyra Wajãpi, no Amapá, em julho de 2019, resume todo o modo de agir do capitão reformado.

Bolsonaro prometeu uma legislação que regularizaria a posse de sítios dos invasores das terras indígenas. Ao anunciar que a minuta da lei estava em sua mesa, as invasões proliferaram. Todos os invasores de fora das terras se sentiram incentivados a entrar nas terras antes demarcadas e todos os que já haviam invadido foram colocados em marcha para pegar mais terras. Essa gente criou grupos armados, que atiraram nos índios. O cacique foi assassinado. Bolsonaro negou que se pudesse dizer, com certeza, que o cacique fora assassinado, e se eximiu de qualquer culpa. Mas, pelo modo como fez as coisas, o tiro saiu, de fato, do Palácio do Planalto.

Assim, Bolsonaro cumpriu uma promessa de campanha: "Se depender de mim, índio não terá mais terra e perderá as que já possui." Depois de eleito, esse discurso mudou para algo mais ameno, mas com o mesmo objetivo: "Índio não deve ficar como bicho em zoológico, preso na sua terra, ele quer se integrar, quer ir ao cinema e ter internet." Mas o cacique não queria nada disso, queria apenas ficar vivo. Bolsonaro não permitiu.

O mais sarcástico desse triste episódio é que, um dia antes da morte do cacique, um importante membro dos grupos que são contra a demarcação de terras indígenas havia dito que estava dando apoio – inclusive com base no Congresso – para os que queriam que Bolsonaro conseguisse nomear seu filho Eduardo embaixador do Brasil nos Estados Unidos. Pois Eduardo estaria ligado a mineradoras americanas e de outros países, capazes de vir para a Amazônia explorar as terras indígenas. Isso valorizaria ainda mais as terras dos invasores. Tudo isso chegou à imprensa, abertamente. A sociedade leu tais informações. Mostrando dificuldade em lidar com tamanha afronta, já percebendo que a lei nada vale, o Brasil parece se abater em letargia.

25. Um Congresso dócil para um membro do baixo clero

Na Igreja católica os padres e diáconos são tomados como o baixo clero. São os que não possuem poder de decisão na hierarquia da Igreja. Em geral, sempre foram os filhos dos mais pobres. Nos anos 1980 essa expressão, "baixo clero", começou a circular nos meios políticos. Dizem que veio pela boca de Ulysses Guimarães. Era para designar os congressistas de pouca expressão e pouco trabalho, os menos capazes. Bolsonaro nunca saiu desse grupo. Sempre foi deputado do "baixo clero". Não conseguia aprovar projetos, não só por falta de articulações e capacidade intelectual, mas também porque os projetos, não raro, eram descabidos.

A atividade de Bolsonaro como congressista foi avaliada em entrevista pelo general Ernesto Geisel, no livro *Ernesto Geisel*, organizado por Maria Celina D'Araújo e Celso Castro. Ali, ele fala com todas as letras que Bolsonaro nem deve contar como "um militar no Congresso", pois era um "mau militar". Aliás, o general o condena pelos seus desejos de "volta da ditadura".

Bolsonaro nunca foi capaz de realmente entender o funcionamento do Congresso, em trinta anos como deputado. Não ganhou percepção política do meio. Não aprendeu sequer os jargões mais corriqueiros. Da mesma maneira que não conseguiu evoluir na carreira militar, também no Congresso ele empacou. Tornado presidente por um acidente da democracia brasileira, viu-se como alguém que tinha que ter bons relacionamentos no Parlamento e, no entanto, nada mais estranho a ele que o próprio Parlamento.

O capitão reformado nunca entende a estrutura mínima da República, ou seja, a independência dos três poderes e o uso da liturgia dos cargos. Chegou ao ridículo de andar com a faixa presidencial e, pior ainda, é capaz de usar de linguagem agressiva e chula publicamente. Com isso, afasta os congressistas de qualquer convivência com ele. Em seis meses, se tornou o presidente que mais governou por medidas provisórias em toda a história. Suas intenções legislativas, não raro, se mostraram inconstitucionais, causando enorme dificuldade para os congressistas da chamada "base aliada".

Bolsonaro passou a lutar por leis esdrúxulas: fim da autoescola e exame para motoristas, fim da cadeirinha para crianças nos carros, fim dos exames da OAB, afrouxamento para regras que proíbem trabalho infantil e até trabalho escravo, flexibilização nas regras para se adquirir armas etc. Ao mesmo tempo, deixou Paulo Guedes e o próprio Congresso encaminhar as teses econômicas da direita: privatizações e reformas em que o trabalhador perde direitos. Nesse último quesito, o Congresso, de maioria conservadora, acabou por fazer o papel do Executivo, ao menos nas ideias anteriores, enquanto reagiu ao presidente diante das propostas menores, mais idiossincráticas, e fez Bolsonaro vociferar e bater a cabeça.

Ao fim de seis meses, a parte da esquerda no Congresso começou a falar em *impeachment*. A direita respondeu "ainda não". Juristas que também foram congressistas vieram, então, com a tese da interdição. De um modo ou de outro, é sempre papel do Congresso, que nisso se baseia na história, acreditar que consegue controlar um presidente que se apresenta psiquicamente instável.

O capitão reformado sempre acredita que pode passar de qualquer limite com seus arroubos verbais. Se isso atinge o Congresso, a harmonia dos trabalhos, ele tem fé que pode resolver tal coisa com um pedido de desculpas. Assim agiu quando teve casos que chegaram ao Supremo Tribunal Federal e assim atua com os inúmeros conflitos que consegue forjar na relação com o Congresso. Há um traço infantil nisso, o de sempre acreditar que merece uma passada de mão na cabeça por parte de autoridades que, por dever de ofício, devem vigiá-lo.

O traço infantil, e que denuncia até mesmo uma forma de endurecimento mental, é que Bolsonaro passou os seis meses iniciais de governo sem querer negociar com o Congresso. Mostrou que possuía da atividade política, da qual fez parte durante trinta anos, uma estranha imagem, ou seja, de uma atividade de banditismo. Chegou a dizer que, se negociasse, poderia ir preso! Não conseguiu elaborar um plano de negociação segundo critérios políticos, mesmo tendo quase todo o Congresso nas malhas do pensamento conservador, ou seja, desejando a Reforma da Previdência e acreditando que perda de direitos pode levar algum país a melhorar! Ao fim e ao cabo, terminou por se ver nas mãos do Congresso, e só conseguiu aprovar a Reforma da Previdência (o equivalente da Reforma Trabalhista do governo Temer) por conta de uma prática tão ruim quanto a corrupção direta: liberou verbas de emendas para os parlamentares, na última hora, aos borbotões.

26. A história não tem verdade?

Em filosofia, sabemos bem, a noção de verdade como correspondência tem seus críticos. Sua definição está na berlinda já faz um bom tempo. Nos manuais de lógica, eis como a definição aparece: S é p é verdade se – e somente se – S é p. Ou seja, o Pitoco está na cama é verdadeiro se – e somente se – o Pitoco está na cama. Em termos genéricos, essa definição diz que o fato o Pitoco está na cama garante a verdade do enunciado "O Pitoco está na cama". Tudo isso é bem tranquilo quando se estuda lógica, ao menos no início. Mas se quisermos saber mais um pouco nos embaralhamos. Como?

Não é difícil ver um problema clássico da verdade como correspondência. Se quisermos saber o que define em geral a verdade, dizemos que o enunciado verdadeiro S é correspondente do fato p. E se perguntamos sobre o que é um fato, dizemos que se trata de algo descrito por um enunciado verdadeiro. Caímos num círculo. E círculos desse tipo não são bons para filósofos. Assim, a noção clássica de verdade como correspondência fica abalada.

Algumas pessoas, ouvindo falar disso, se acham bem sábias, informadas em filosofia, e saem dizendo que a filosofia não sabe mais dizer o que é a verdade. Então, eis que cada enunciado vale como uma versão. Cada um pode falar o que quiser sobre qualquer assunto ou acontecimento. O mundo se transforma em um conjunto de narrativas enquanto meras narrativas. Essa informação do curioso em filosofia chega aos ouvidos de inaptos, aqueles que possuem dificuldades cognitivas até para saberes mais fáceis do que a filosofia. Então, esses inaptos saem por aí dizendo que história é como o jornalismo: sempre temos de contar duas ou mais versões de um episódio. O ouvinte, ou leitor, que tire suas conclusões. Abre-se aí o caminho pouco sábio de que história é uma ficção qualquer e que jornalismo se faz por meio de ajuntamentos de versões.

Bolsonaro ouviu dizer que a história tem versões. Então, ele reclama: por que só a versão da história da ditadura militar contada pela esquerda é que deve valer e ser ensinada? Por que a Comissão da Verdade tem uma versão e eu não posso ter outra?[13] Assim diz Bolsonaro, desconsiderando o que seja ser um profissional do conhecimento. Ele surge, assim, como um democrata relativista! Os incautos, sem saber o que é

13 A Comissão Nacional da Verdade foi criada por Dilma Rousseff, em forma de colegiado, com o objetivo de investigar as violações de Direitos Humanos ocorridas entre 18 de setembro de 1946 e 5 de outubro de 1988.

pós-moderno ou relativismo, ainda poderiam dizer: Bolsonaro é o símbolo do pós-modernismo relativista.

Em um episódio concreto, Bolsonaro destituiu membros da Comissão Especial de Mortos e Desaparecidos Políticos e os substituiu por pessoas aparentemente mais afáveis a seu pensamento. Ele ficou enraivecido por conta de um episódio surreal. Falou intempestivamente que poderia contar para o presidente da OAB, Felipe Santa Cruz, que sabia como o pai do advogado havia morrido, que ele fora "justiçado" por seus próprios companheiros da Ação Popular, por conta de sua militância nesse grupo. Na luta contra a ditadura militar, o estudante Fernando Santa Cruz teria sido morto pelos próprios companheiros. Por essa fala, Bolsonaro logo viu toda a opinião pública nacional e internacional contra ele. Foi então que se saiu com esta: cada um com a sua versão da história.

A questão da verdade, em filosofia, tem encaminhamentos técnicos. Não diz respeito ao conhecimento objetivo. Ninguém desconfia de que o conhecimento objetivo, dentro de graus, pode ser alcançado. Conhecimento é, desde Platão, "crença verdadeira bem justificada". Crença verdadeira é algo objetivo. A crença ganha objetividade por ser um enunciado que se desprende do enunciador. A informação "Fernando Santa Cruz foi morto pela ditadura" é uma crença verdadeira, enquanto enunciado. Como um enunciado ela é verdadeira. Agora, o conhecimento é "Eu sei que Santa Cruz foi morto pela ditadura". Isso, então, é o discutível: como posso justificar esse meu saber, esse meu conhecimento? Como posso dizer que estou de posse de um conhecimento? Então, cobra-se de quem diz "eu sei" os procedimentos pelos quais ele conseguiu esse saber e os procedimentos pelos quais ele validou esse saber.

Nessa hora, entram os historiadores não de partidos, mas os historiadores profissionais. Eles constroem a informação historiográfica, com vários métodos de averiguação, e então dizem "Santa Cruz foi morto pela ditadura militar", e isso "nós sabemos porque traçamos a investigação segundo tal e tal trajeto etc.". A democratização dos métodos de procedimento permite outros fazerem o mesmo caminho e, então, poderem dizer, "Sim, Santa Cruz foi morto pela ditadura", "nós também sabemos isso agora, considerando esse procedimento investigativo dado". Desse modo, quanto às versões, a historiografia não possui tantas quantas alguém aleatoriamente queira. Bolsonaro não é historiador. Os historiadores, de diversas correntes, chegaram a construir a mesma historiografia. Nessa historiografia, é válido o conhecimento de que Santa Cruz foi morto pela ditadura.

Antes, era a esquerda que chamava pelo relativismo, para poder desconstruir as frases dogmáticas, aquilo que em geral era a Verdade, a verdade absoluta bancada pela direita religiosa. A verdade como sinônimo de Deus. Mas, na direita atual, neoliberal, a ideia de que tudo é apenas uma versão adquiriu o sabor de "tudo tem uma versão feita por qualquer um". A direita diz: temos de ser livres, a sua opinião pode ser contestada pela minha. Tomam a ideia de opinião como qualquer frase inventada, sem critérios. A direita advoga o idiossincrático como opinião que se possa fazer valer. Não vale.

Conclusão

O bolsonarismo é um "não" às utopias

O filósofo romeno Emil Cioran escreveu que preferia os céticos aos fanáticos utopistas. Essa preferência de Cioran não diz respeito a uma observação em política, mas em metafísica. Adotando a crítica ao humanismo, que vem de Nietzsche, ele acreditou que precisávamos ser vacinados contra a ideia de que o homem tem o dever de se colocar no centro do Universo e da história. O homem não saberia se conter e, por isso mesmo, não poderia conseguir qualquer perspectiva que não fosse a sua mesma. Fazia-se necessário mudar isso.

A direita lê de maneira pobre Cioran, e tira dele instrumentos banais contra os que desejam "um mundo melhor". Erra feio na leitura do filósofo e acredita ter nele um aliado para as suas teses do conservadorismo da perversidade.

A ideia de denúncia contra os que querem um mundo melhor é uma ideia pobre. Todos nós sabemos que, enfim, devemos ter cuidado com nossos sonhos, uma vez que um anjo torto pode realizá-los. Mas as utopias foram feitas para leitores inteligentes. Elas realmente surgiram na literatura como o lugar nenhum. Nunca foram desenhadas para que alguém fizesse a maquete e erguesse, de fato, a cidade ideal. Eram imagens de sociedades perfeitas, em sentido específico, com a finalidade de crítica do existente. Todos os filósofos, por serem inteligentes, sabem da necessidade de utopias. Sabem também que homens pouco inteligentes não irão esperar anjos tortos, irão querer realizar utopias. Sonhos podem ser realizados, imantados pelas utopias. Estas, elas mesmas, servem de guia apenas.

Pior que anjos tortos e homens pouco inteligentes são aqueles que, com menos inteligência que os pouco inteligentes, usam a frase "Ah, mas isso é uma utopia". E daí que "isso é uma utopia"? As utopias são para existir no papel, na escrita, elas exercitam a imaginação e só com elas a filosofia é filosofia. Fora disso, a filosofia se reduz à teoria e, então, pode até querer virar ciência. A direita bolsonarista nasceu da ideia de que não podemos ter utopias. Bolsonaro é aquele que a cada esquina parece dizer: "Temos de escolher, ou menos direitos ou então desemprego." É um eco do que dizia Margaret Thatcher: "Não há outra saída." Era o neoliberalismo ou nada. O resultado disso foi o que temos agora no mundo: um capitalismo de pobres. Pobres por falta de recursos materiais, pobres de espírito que, ao contrário do dito bíblico, não ganharão o reino dos céus.

No Brasil, alguns intelectuais prepararam essa desesperança conservadora, essa ideia de que os ricos, os patrões, estão vivendo de maneira muito difícil, e temos de melhorar a vida deles para que eles possam nos empregar! O bolsonarismo *avant la lettre* que cultiva uma tal excrecência teve início quase vinte anos antes de Bolsonaro, nos escritos, por exemplo, de Luiz Felipe Pondé. Depois, ele próprio se converteu ao olavismo e flertou com gosto com o bolsonarismo. Sua militância jornalística o fez um arauto dessa estranha ideia de que não devemos sonhar com um mundo melhor, pois todos que querem um mundo melhor estariam, na verdade, com consciência de culpa. Estranhamente, só produziriam um mundo pior! É um raciocínio pobre, e que nada tem a ver com Cioran.

O tragicismo dessa posição, que alimenta o bolsonarismo, é um tragicismo inculto. Mas ele se espraiou bem pela nossa sociedade. Quando do *impeachment* da presidente Dilma, as ruas estiveram apinhadas de gente que parecia querer mudança, mas queria apenas que ninguém mais sonhasse. Ali, nas ruas, pessoas protestavam contra o moderno, e viram que o reacionarismo precisava de um cavalo para montar. O cavalo era Bolsonaro. Este, de fato, surgiu do interior do movimento pelo *impeachment*. Com a prisão de Lula, abriu-se o caminho para ele se tornar presidente. Ele pode passar, mas o neofascismo, seu populismo de direita, associado não tão paradoxalmente ao neoliberalismo, ainda terá fôlego no Brasil. A incultura tem um grande peso porque ela é sustentada por gente que se diz culta.

Sabemos desse fôlego, pois, como disse na introdução, estamos em um tipo de capitalismo que pede o desregramento de tudo. Bolsonaro é o aríete do desregramento. Para ele, nem as regras do pensar são válidas. Ou melhor, estas realmente lhe são incompreensíveis. Ora, para ser utópico é necessário ter regras. O pensamento utópico é sofisticado exatamente porque é regrado.

Excurso

Em defesa do conhecimento

A política é o campo do teatro dos gestos. Trata-se da pantomima da pólis. As vassouradas de Jânio Quadros e o uso do corpo por Fernando Collor de Mello – com camisetas com dizeres matinais – tiveram seu momento de glória. Antes deles, o braço erguido com a palma da mão voltada para dentro, em acenos suaves, havia sido a gesticulação de Getulio Vargas no acolhimento de enormes multidões. Por sua vez, vimos Jair Bolsonaro se transformar no primeiro candidato à Presidência da República que, entre seus gestos principais, manteve uma esdrúxula preponderância por uma micagem impensável de ser usada por alguém na busca de votos: ele se apresentou na campanha, e até mesmo na posse como presidente, fazendo os gestos de portar armas nas duas mãos.

Foi a primeira eleição presidencial brasileira, pós-1985, levada adiante pela simbologia da arma, ou seja, da violência, da agressão e da morte. Essa postura foi rodeada de outras imagens simbólicas do mesmo tipo, em uma campanha esvaziada de conteúdo e prenhe de estampas simplórias, grotescas, histriônicas. Bolsonaro é um fruto autêntico de nossa época, um tempo que, segundo o filósofo alemão Peter Sloterdijk, mostra o sujeito mais histérico do que deprimido.[14]

Bolsonaro nos trouxe a infância irrequieta, a puerilidade perigosa, a imagem pela imagem – o esvaziamento da imagem a partir de seu uso como portadora de uma mensagem simplória. Sua campanha foi, pela primeira vez, a campanha da imagem sem criatividade, a imagem dos gestos toscos. A imagem sem a narrativa tradicional a ela acoplada e sem qualquer coisa senão a repetição do próprio imaginário tosco e infantil de um senso comum idiotizado.

Bolsonaro fez da imagem o que ela já prometia e o que, afinal, era o que ela própria havia desejado. A imagem no capitalismo, ao se tornar peça central, nunca quis outra coisa senão a sua emancipação em relação à legenda.

Ele, Bolsonaro, chegou ao seu público por fotos e vídeos que se tornaram memes. Tornou-se uma coqueluche a foto dele chutando o boneco do Lula com

---

14 Sobre o homem contemporâneo, vale a pena mensurá-lo tendo em conta a seguinte observação de Peter Sloterdijk: "O processo do mundo, no seu conjunto, tem muitos mais pontos em comum com uma 'party' de suicidários de grande escala do que com uma organização de seres racionais que visem a sua autoconservação." Sloterdijk, P. *A intoxicação voluntária*. Lisboa: Fenda, 1999, p. 12.

pijama de prisioneiro. Seus filhos se mostraram armados em comícios, propositadamente – para que fossem assim fotografados. Ele propagou os gestos obscenos de atirar com as mãos e os dedos. Ele agarrou a câmera de TV e fez dela uma metralhadora para "eliminar a petralhada". Nenhum outro candidato fez esses gestos ou usou de apetrechos em comícios – não dessa maneira. Em vídeos, ele enfiou o dedo em um orifício de um livro de educação sexual, imitando um pênis. Ele nem se importou em corrigir sua arcada dentária, que pende para um lado, muito menos educou sua voz, que é incômoda por causa de um problema de língua presa. Que o tosco seja tosco. Pois o que importa é a imagem que possa já estar no imaginário dos toscos de espírito.

O segredo desses nossos tempos: vivemos sob o imperativo de que exista um imaginário que denote um comportamento primitivo, bem rudimentar, que desperte a aderência vinda de um mimetismo animal. Nunca alguém, na política, produziu tantos memes quanto Bolsonaro.

Foi a primeira vez que a imagem de candidato político veio claramente despida de texto. Surgiu como imagem forte na sua fraqueza. Trouxe o excitamento produzido pelo modo de ação da pornografia, em oposição ao erotismo. Bolsonaro abraçou o Brasil rude ao ser o primeiro candidato autenticamente pornográfico, no sentido do que é totalmente positivo, escancarado, claro – sem as nuances do erótico, ou seja, do que é crítico, visto entre frestas, complexo.[15]

No que se segue, desenvolvo este excurso em três partes. No tópico 1, abordo a preponderância da imagem na sociedade atual, utilizando-me de Guy Debord. No tópico 2, abordo a imagem do rosto em nossos tempos, seguindo a dualidade "valor de culto" e "valor de exposição", de Walter Benjamim. No tópico 3, finalizando, lembro de análises de Thomas Macho para falar do rosto entalhado e de como a personalidade assume esse entalhe. Em todo o excurso, o intuito básico é expor o "fenômeno Bolsonaro", apontando a estrela de uma campanha autenticamente contemporânea, aquela em que o essencial é ser não simples, mas praticamente simplório, e altamente eficaz na capacidade de produzir imagens que já estavam em nossas retinas há muito.

1.

As imagens produzidas por Bolsonaro, do modo como se apresentaram na sua campanha política, fizeram o Brasil finalmente entrar na narrativa que foi

15 Ver o modo como Byung-Chul Han trata o pornográfico: Han, B.C. *A sociedade da transparência*. Petrópolis: Vozes, 2017, p. 51-69.

traçada por Guy Debord, ao falar da "sociedade do espetáculo".

Demorou um pouco, mas o gesto de cerrar os punhos ou fazer o "V" da vitória ou coisa parecida perdeu espaço para os gestos histriônicos com uso de objetos. O personagem propriamente humano passou para segundo plano, deixando a imagem do grotesco, enquanto pura imagem de espetáculo circense, ganhar o papel de protagonista na campanha. Bolsonaro não tinha o que dizer, então disse o que os nossos tempos dizem: que tudo seja para ver, não para pensar.

Ver o quê? Do que é composto o espetáculo? Ora, do arremedo do circo, do arremedo da guerra, do arremedo de Rambo, da imagem que não pode mais comunicar outra coisa senão as onomatopeias do "bum", "ratatatá", "bang". "Mito" – eis a palavra-chave para imagens de onipotência feitas não só com pessoas, mas principalmente com objetos, ou com pessoas que imitam objetos. Ou objetos que se mostram abjetos.

Chutar um boneco de um adversário político – por que isso? Duvido que isso tenha sido feito em qualquer outra época ou país. Nem Hitler foi combatido assim pela indústria cinematográfica de propaganda de guerra, dos experts americanos da mídia. Caso Donald Trump tivesse usado tal técnica, Hillary Clinton ganharia a eleição. O Brasil atingiu a espetacularização completa antes de ela vingar no centro do capitalismo.

Mas como chegamos a isso?

Dizem que as características dos pais nunca se explicitam nos filhos, mas, sim, em sobrinhos, ou seja, as coisas vingam com clareza nas periferias. O capitalismo é assim. Não o vemos de todo na Inglaterra ou na Alemanha ou nos Estados Unidos se não acompanharmos as caricaturas nascidas nas periferias. Que o Brasil tenha sido um dos lugares da espetacularização, profetizada por Debord, de modo mais aviltante, segue essa regra.

O que Debord afirmou está num dos mais proféticos parágrafos já escritos:

> *A primeira fase da dominação da economia sobre a vida social acarretou, no modo de definir toda a realização humana, uma evidente* **degradação do ser para o ter**. *A fase atual, em que a vida social está totalmente tomada pelos resultados acumulados da economia, leva a um* **deslizamento generalizado do ter para o parecer**, *do qual o ter efetivo deve extrair seu prestígio imediato e sua função última.*[16] *(grifos meus)*

E Debord acrescenta, logo em seguida: "Quando o mundo real se transforma em simples imagens, as

16 Debord, G. *Sociedade do espetáculo*. Rio de Janeiro: Contraponto, 2015.

simples imagens tornam-se seres reais e motivações eficientes de um comportamento hipnótico."[17]

Bolsonaro, chutando o boneco de Lula ou metralhando gente, trouxe a imagem do espetáculo que temos hoje na compreensão de nossas retinas: o videogame, a guerra, o cinema da violência e das explosões. Punhos cerrados são para o velho movimento operário e para candidatos que perderam o bonde da história. Não se deve tentar trazer a imagem para uma semântica histórica carregada de intenções emancipadoras, mas, sim, para uma protossemântica já amalgamada no imaginário popular infantilizado, posto pela imagem como substituta definitiva do texto. A imagem pela imagem não vem da indústria cinematográfica, mas do movimento do capitalismo, que faz o que tem de fazer para que tudo vire imagem e só tenha o que dizer como imagem. Dizer o quê? Nada! Apenas tornar as relações humanas ainda possíveis pelo seu arremedo de serem peças das relações de mercado.

Fazer do mundo uma época em que as imagens são sua realidade é a especialidade da sociedade de mercado. Debord, claro, se inspirou em Marx para dizer o que disse. Do que se trata?

A sociedade capitalista como sociedade de mercado é o lugar em que o produto perde seu valor de uso

17 Idem, ibidem, § 18.

para se transformar em mercadoria e, então, só portar e comportar valor de troca – ou simplesmente valor. No mundo mercadizado as coisas, para serem usadas, devem passar pelo mercado e, então, se portarem como tendo valor de troca. Tudo é valor enquanto valor abstrato, enquanto horas de trabalho (socialmente necessárias) incorporadas e, portanto, trocável por horas de trabalho incorporadas. Troca de equivalentes é uma forma de trazer todos nós para o campo da abstração. Ao mesmo tempo, para que isso ocorra, é necessária a separação entre o produto e o trabalhador. Essa separação garante o mercado, sua existência, o fim da visão – ao menos a mercadoria como mercadoria – que mira as coisas como contendo utilidades e a preponderância da visão que olha para as coisas como objetos que, uma vez sem utilidade, sem valor de uso, se transformam em substitutos de obras de arte. As mercadorias ensinam todos a se transformarem em espectadores. Eis um aprendizado que nos molda irreversivelmente. Elas inauguram a vitrine e, portanto, mais tarde, pela tecnologia, a TV. Em nossos dias, faz com que todos possam se tornar imagens como elas, nos celulares. Eis o percurso: chegamos primeiro à vitrine física, e então saltamos para a vitrine virtual, que acolhe a nós mesmos como modelos através de vídeos e fotos dos celulares.

Nessa sociedade, onde tudo é imagem, esta se faz por si mesma, sem qualquer enredo. Uma imagem sem texto, que se sustente por ela mesma, precisa ser uma imagem do que já está no imaginário. O histrionismo de Bolsonaro veio das peripécias de *O Gordo e o Magro*, passando por *Rambo* e chegando ao cai-cai de Neymar. Da imagem rica, que sem texto dizia algo, para a imagem que faz questão de extinguir o texto, a imagem sem espírito, empobrecida. É preciso um picadeiro de semântica pobre para que o imaginário pobre dos pobres de espírito, que somos todos nós, nos dê o entretenimento necessário.

Bolsonaro fez o show. Chutou Lula. Metralhou. Ousou pegar a criança e ensiná-la a fazer com os dedos o gesto de disparar uma arma. Quebrou o pudor. Não à toa, deixou-se fotografar junto com um ator pornô que, na TV, confessou estupro (Alexandre Frota, no programa de Rafinha Bastos). Pois a imagem pela imagem é a obscenidade completa. A mercadoria, sabemos nós, é obscena.

Mas, afinal, por que todos os outros candidatos não atuaram assim? Por uma razão simples: todos que disputaram com Bolsonaro eram candidatos antiquados. Perderam o laço com a nossa contemporaneidade. Insistiram em fazer da imagem a imagem do rosto, chamando o olhar para a boca e os olhos, uma vez que suas imagens ainda estavam associadas ao que é proferido por esses órgãos, ou seja, a narrativa do discurso, a narrativa racional que visa convencer pela exposição de ideias. Mas quem está interessado em discurso e ideias? Como o próprio Bolsonaro disse: "Quem está interessado em aluno crítico?"

2.

Para entendermos como que o rosto é e não é um problema para os contemporâneos, nada melhor que recorrer à noção de Walter Benjamin de "valor de exposição".

Benjamin notou que, junto da oposição entre valor de uso e valor de troca, surge o valor de exposição. Giorgio Agamben comenta assim essa descoberta benjaminiana:

> *[...] a fim de caracterizar a transformação que a obra de arte sofre na época de sua reprodutibilidade técnica, Benjamin havia criado o conceito de "valor de exposição" (*Ausstellungswert*). Nada poderia caracterizar melhor a nova condição dos objetos e até mesmo do corpo humano na idade do capitalismo realizado do que esse conceito. Na oposição marxiana entre o valor de uso e o valor de troca, o valor de exposição sugere um terceiro termo, que não se deixa*

> *reduzir aos dois primeiros. Não se trata do valor de uso, porque o que está exposto é, como tal, subtraído à esfera do uso; nem se trata de valor de troca, porque não mede, de forma alguma, uma força-trabalho.*[18]

Benjamin opôs "valor de exposição" a "valor de culto". O valor de culto tem a ver com a obra que está velada e que possui sua aura. Ela decai de importância no capitalismo avançado, enquanto o valor de exposição cresce de importância. Ele exemplifica isso falando da popularização da fotografia. O elemento de resistência, então, é o rosto humano. Como ele diz, "sua última trincheira é o rosto humano".

> *Não é por acaso que o retrato era o principal tema das primeiras fotografias. O refúgio derradeiro do valor de culto foi o culto da saudade, consagrado a amores ausentes ou defuntos. A aura acena pela última vez na expressão fugaz de um rosto, nas antigas fotos. É o que lhes dá sua beleza melancólica e incomparável. Porém, quando o homem se retira das fotografias, o valor de exposição supera pela primeira vez o valor de culto.*[19]

---

18 Agamben, G. "O elogio da profanação". *In*: *Profanações*. São Paulo: Boitempo Editorial, 2007, p. 77-8.

19 Benjamin, W. "A obra de arte na era da sua reprodutibilidade técnica". *In*: *Obras escolhidas I*. São Paulo: Brasiliense, 1987, p. 174.

Essa situação é aquela que só Bolsonaro, entre todos os candidatos, poderia aproveitar. Não tendo nada para dizer, o melhor seria compactuar com o êxito do valor de exposição. A regra: não enfatizar o rosto, que uma vez presente lembra a fala, o discurso, a narrativa racional. Então, o melhor é que saia o homem e entre o espalhafato, ou seja, a arma ou o corpo como uma peça armada (ou imitação da arma). Que saia o homem e entre o chute e o boneco. O homem é o rosto, mas o rosto atrai o culto, o rito, a oração, a narrativa. Sem o homem, só com o histrionismo de objetos e mãos que fazem as vezes de objetos, a imagem ganha o que tem de ganhar em uma "sociedade do espetáculo", a sua ampliação como valor de exposição. Trata-se da apologia da pantomima da desgraça.

Mas, temos que convir, Bolsonaro nunca foi uma plena mula sem cabeça. Inserido entre seus pares, então voltados para uma campanha política tradicional, ele também tinha de ser um rosto. Como ele conciliou tal situação? Ora, ele não precisou se esforçar. Tudo conspirou a seu favor.

Logo ele se adaptou, também aí, ao momento mais contemporâneo. Se o rosto tinha de surgir, não deveria emergir como rosto e sim como face. Esta, segundo Byung-Chul Han, é o que não aparece nas velhas fotos, mas no Facebook e na produção do Photoshop.[20] Aqui,

---

20 Han, B.-C. *A sociedade da transparência*. Petrópolis: Vozes, 2017, p. 29.

nesses locais, não há nenhuma aura e, enfim, o que se faz presente é o *mesmo*, o que se repete, o que é mera superfície sem rugas e sem expressão humana, mas com expressão caricaturesca, burlesca, como se todos fossem objetos, bonecos de mesmo olhar.

As fotos atuais, todas seguindo o padrão Facebook (que nome, hein?), mostram moças que posam de maneira igual, com rostos (ou melhor, faces!) iguais, montados pela maquiagem padrão. Tudo é feito para o máximo de exposição. Nenhum rosto... Ôps! Face! Nenhuma face assim lembra a fala, a narrativa ou o discurso. Nenhuma face quebra a imagem ou a secundariza por meio de um pedido por discurso.

Também o rosto de Bolsonaro, uma vez que não podia ser evitado, passou a apresentar uma só configuração, se fazendo face: um sorriso um tanto sarcástico, com a mesma abertura da boca para qualquer situação. O sorriso estereotipado evita que se peça um discurso, uma fala, uma ideia, do mesmo modo que as meninas do Facebook postam carinhas com bico, beijo, enquanto os meninos, como o Neymar, fazem as fotos com a língua para fora. Não há o que dizer, dizem essas faces. É a face, ou seja, o rosto em estilo superfície – a cara de Bolsonaro. A face da cena que é a face obscena, até que tudo seja reduzido a uma minicaricatura, o emoji. Eis então o fim do rosto de uma vez, tornando-o desnecessário.

Nessa situação, Byung-Chul Han comenta: "Na sociedade expositiva cada sujeito é seu próprio objeto-propaganda; tudo se mensura em seu valor positivo. A sociedade exposta é uma sociedade pornográfica; tudo está voltado para fora, desvelado, despido, desnudo, exposto."[21] Mas isso ocorre porque o que é despido não possui rugas ou história, não se faz como rosto humano.

Ninguém se colocou tão a nu em uma campanha quanto Bolsonaro. Quando veio a facada e a recuperação, essa situação ganhou ares que foram do surrealismo ao hiper-realismo. Ele foi apresentado, então, com a barriga aberta, sem camisa, ou de pijama, trazido para a imagem, em máxima exposição, como aquele que continuava seu show de peripécias mesmo após a peripécia máxima. Fotografado no hospital em uma aparência deplorável, transformou-se em um enorme pernilongo da dengue, segundo um meme famoso que se espalhou pela internet. Assim mesmo, fez o gesto de empunhar arma. Sorte! Nem precisava mais, de fato, falar. Se havia ainda, em sua imagem, algum rosto, ali ele desapareceu de vez. Bolsonaro se recolheu e se calou de vez. Quando falou, foi agressivo, mas já eram os últimos dias da campanha. Nesse caso, até já poderia voltar a falar, pois não seria mais em um debate. Sua cara então falou, mas falou como toda cara contem-

21 Idem, ibidem, p. 31-2.

porânea fala: aos gritos de frases simplórias que poderiam vir pelo Twitter.

Todos ficaram procurando Bolsonaro para o debate. O debate é o local em que há a celebração do valor do culto, uma quase cerimônia religiosa. A adoração do logos. Bolsonaro não foi. Claro, ele continuou cativo e ao mesmo tempo soberano, abusando das peripécias já tratadas, já fotografadas. Dali em diante, vieram então as danças de rua, as coreografias de pessoas imitando robôs e se dizendo bolsonaristas. Todas dispostas a andar juntas, contanto que nenhum discurso racional fosse necessário. E não era. Não é. Para esse tipo de gente, jamais será.

3.

O segredo de Bolsonaro para apresentar o rosto e, ao mesmo tempo, dar-lhe característica apenas de face, de cara, impedindo assim que alguém viesse a dar atenção para a sua boca como algo humano, ou seja, que emite palavras, é revelado se trazemos à tona as observações feitas por Thomas Macho.

Este, comentando *O homem que ri*, de Victor Hugo, dedica-se a analisar a figura do Coringa, aquele representado no cinema por Heath Ledger (*The Dark Knight*, Christopher Nolan, Estados Unidos, 2008).

Nesse caso, o Coringa é alguém que tem o sorriso não por efeito da natureza, mas por um talho feito pelo pai. Eis então o que seria o surgimento do Coringa, aquele que ri em qualquer situação. Estando sorrindo em qualquer situação, graças ao talho, ele assume seu rosto e o transforma em face, em caricatura, em cara. Sua personalidade incorpora sua face. E então ele realmente ri de tudo, inclusive da própria desgraça.[22]

É verdade que muitos de nós nos tornamos o nosso rosto transformado em face. Pois nossa face chama os outros e os faz dizerem coisas para nós que nos dão o parâmetro de quem somos, ou melhor, de quem seremos. Ao fim e ao cabo, somos de fato os que sorriem por meio de um talho. Os outros entalham uma personalidade em nós, que é própria do rosto que lhes apresentamos. Isso é ensinado pelos outros, os que nos olham e nos dizem que somos, de fato, aquela cara que apresentamos e não outra. Na "época da sociedade do espetáculo", ficamos com cara de observadores. Mas, ao mesmo tempo, se também somos os elementos do palco, nos apresentamos segundo a regra da imagem preponderante: aparecemos com o rosto imóvel, a cara, a caricatura, ou seja, a face entalhada. Todos somos como que bailarinas do Faustão: fazemos o show

22 *Apud* Ghiraldelli Jr., P. *Para ler Sloterdijk*. Rio de Janeiro: Via Véritas, 2017, p. 106.

e ao mesmo tempo o vemos, mas sempre com o rosto do sorriso entalhado, fabricado por longo branqueamento de dentes e outros apetrechos padronizáveis. Fazer pequenas micagens usando de rostos com lindos sorrisos largos é uma forma de perder o rosto e ganhar a face, que se mostra, então, como cara.

Bolsonaro soube mostrar o rosto como cara, mas com a seta invertida: sem qualquer beleza. Apresentou-se entalhado (e depois, literalmente, esfaqueado). Quem iria cobrar outra coisa de um Coringa que não um sorriso único e uma mensagem sarcástica? Sabemos que o forte do Coringa não é o falar e sim o trabalho de armar arapucas. Mas esperar o que de um personagem cujo rosto é uma arapuca para si mesmo?

Nas milhares de fotos que Bolsonaro apresentou, com um sorriso estereotipado e fazendo os gestos de atirar com as duas mãos, ele foi mostrando ser o candidato efetivamente com mais chances de ser sincero, ainda que uma sinceridade, digamos, animal, ou cínica. Pois o que o entalhamento do rosto faz é produzir uma fusão entre cara e personalidade, de modo que todos acabam por não encontrar nenhuma fissura entre ambos. Por mais que a situação esteja ruim, o Coringa sempre está rindo. Quem o acusaria de ser falso?

O trunfo do Coringa é a fraqueza de seu adversário: Batman. Enquanto a justiça arbitrária precisa de máscara, ele, Coringa, abomina máscaras. Para que mascarar aquilo que é sua força? Ei-la: seu rosto preparado para rir até mesmo quando torturado por Batman na prisão.

Todo rosto, dizem Gilles Deleuze e Félix Guattari, se rostifica e produz uma "organização forte".[23] Eu diria: passa a compor uma cara. Essa organização forte desfaz-se da dicotomia tipicamente moderna de interior e exterior. O rosto que é tornado cara é sincero, ou melhor, obsceno, porque não tem exterior, nada pode esconder sendo só cara. Os personagens de Nicolas Cage e John Travolta, no filme *Face/off* (John Woo, Estados Unidos, 1997), trocam de rosto, e em pouco tempo perdem suas personalidades anteriores adquirindo a personalidade dada pela cara, uma vez que esta já carrega consigo todas as relações possíveis do antigo hospedeiro.

Bolsonaro ganhou uma cara entalhada por nunca ter feito uso do rosto, da boca e dos olhos, pois nunca teve qualquer ideia que viesse a necessitar da boca para expô-la e dos olhos para lhe dar alma. Coube-lhe bem, então, o silêncio, o uso da cara que lhe caiu de maneira ótima e que, por sorte, era a sua mesma. Isso lhe deu enorme vantagem na produção das imagens próprias para o nosso tempo.

---

23 Deleuze, G. e Guattari, F. *Mil platôs*. Vol. 3. São Paulo: Editora 34, 2004, p. 58.

Somos a época do espetáculo. Mas não de qualquer espetáculo. Somos a época em que o aparecer, que é o que conta, deve aparecer em conexão com o próprio cultivo de imagem pela imagem.

Bolsonaro é a comemoração da morte da legenda.

Em www.leya.com.br você tem acesso a novidades e conteúdo exclusivo. Visite o site e faça seu cadastro!

A LeYa também está presente em:

instagram.com/editoraleya

1ª edição	Setembro de 2019
papel de miolo	Pólen soft 70g/m²
tipografia	Minion Pro e Apex New
gráfica	Edigráfica